长篇历史小说

成吉思汗

人间正道

子孙秘传 第二季 之四

胡刃 著

中国国际广播出版社

图书在版编目（CIP）数据

人间正道 / 胡刃著. —北京：中国国际广播出版社，2017.3
（成吉思汗子孙秘传. 第二季）
ISBN 978-7-5078-3931-9

Ⅰ. ①人… Ⅱ. ①胡… Ⅲ. ①长篇历史小说－中国－当代
Ⅳ. ① I247.5

中国版本图书馆CIP数据核字（2017）第000904号

人间正道

著　者	胡　刃
责任编辑	杜春梅
版式设计	国广设计室
责任校对	徐秀英

出版发行	中国国际广播出版社［010-83139469　010-83139489（传真）］
社　址	北京市西城区天宁寺前街2号北院A座一层
	邮编：100055
网　址	www.chirp.com.cn
经　销	新华书店
印　刷	环球东方（北京）印务有限公司

开　本	710×1000　1/16
字　数	235千字
印　张	16
版　次	2017 年 3 月 北京第一版
印　次	2017 年 3 月 第一次印刷
定　价	38.00 元

主要人物

1. 李裕智：内蒙古最早的革命者

2. 王瑞符：革命者

3. 巴振华：包头召小学校长

4. 巴锦秀：又名秀儿，巴振华之妹

5. 郝香香：巴锦秀四婶

6. 巴文俊：巴锦秀六叔

7. 巴福：巴锦秀大爷爷

8. 贾奎泰：原名麻崇德，蒙古名巴勒，地下党

9. 小林子：地下党

10. 苏连鹏：哥老会三堂主

11. 巴喜喇嘛：包头召当家喇嘛，巴锦秀四爷爷

12. 宝力格喇嘛：巴喜喇嘛师兄，谍报人员

13. 阿茹：达拉特旗逊王大福晋，贾奎泰养母

14. 水儿：巴振华义女

15. 王富贵：水儿生父

16. 冯来福：王富贵义弟

17. 云娘：巴振华、巴锦秀嫂子

18. 冯健：巴振华、巴锦秀之侄，冯来福养子

19. 暴子清：枪杀李裕智的凶手

目　录

上了小腿。工头见大水呼啸而来，他和两个打手跳到吊盘上，工头朝上面狂叫："快绞绳子！快绞绳子！"

把女儿麻鹍嫁给他呢？王富贵灵机一动，鬼点子上来了⋯⋯

来，不知哪里滚下一块巨石，车上的伪军都下来搬石头，接着，一支队伍杀了下来。

第一章

　　土默特蒙古男人早就不扎耳眼儿了，这个小要饭的怎么有耳眼儿呢？李裕智看了看小要饭的脸，见他脸色虽然灰暗，但皮肤细嫩，眉宇之间有几分女相。李裕智的心一动，难道他是个小姑娘？

　　"敕勒川，阴山下，天似穹庐，笼盖四野。天苍苍，野茫茫，风吹草低见牛羊。"这首民歌已经流传了 1500 年，歌词凄婉隽永，幽远空寥，描绘了草原的美丽富饶，抒发了作者对草原的深情厚谊。

　　敕勒川是南北朝时期阴山南麓的泛称。明朝时期，土默特部蒙古民族在这一带游牧，因此，这里又称土默川。

　　土默川上的蒙汉百姓继承了祖先热爱生活、热爱家乡、不畏强暴的优良传统。土默川西部有颗璀璨的明珠，那就是包克图。包克图又叫包头。

　　1925 年的包头既有铁路，又有水路，交通便利，商贾云集，买卖兴隆。

　　李裕智在空气污浊的车厢里坐了一天一夜，他走下火车，外面正下着小雨。

　　塞北的初春，在花草还没破土之时，常有沙尘肆虐。小雨一下，空气清新，沁人心脾。李裕智背着包袱出了火车站，他深深地吸了一口气，顿觉神清气爽。

几个赶车拉客的车夫在雨中招揽生意。李裕智不想坐车，他想在这么好的空气中走走。

包头火车站在包头城南门外，从火车站到南门只有二里多远。

进了城，雨下大了。见前面有座小庙，李裕智跑过去避雨。

李裕智站在庙廊下，忽听庙里有人说话："人说心诚则灵。为表达我的诚意，弟子愿割自己身上的肉献给大仙，只求大仙保佑我升官发财……"

李裕智往庙里一看，见有个人跪在地上，此人身着一件洗得发白的灰布长衫，脚上穿着一双脏兮兮的鞋。他撸起裤子，一手拿着牛耳尖刀，一手在腿上揪起一块肉，一刀下去，血如泉涌。

这个人站起身，踉踉跄跄地把他的肉放在供桌上，肉还在"突突"直跳。

李裕智冲进去，惊道："兄台，你怎么这样!"

那人看也不看李裕智，一甩手，转身出了庙门，一瘸一拐地走了，湿漉漉的地上留下殷红的血迹。

李裕智呆呆地站着，望着这个人的背影感叹：我听说佛祖释迦牟尼割自己的肉喂鹰救一只鸽子，也听说春秋时的义士介子推割自己的肉给公子重耳熬汤充饥，可为了升官发财割自己的肉献给大仙，却闻所未闻。

李裕智正愣着，不知哪里来了一个小要饭的。

小要饭的身材高挑，脖子修长，眉清目秀，牙齿洁白，头戴一顶破毡帽，腰系一条草绳。

小要饭的问："外地人，你想知道这个人是谁吗?"

李裕智还在想着那个割肉之人，仿佛没有听见。

小要饭的向前走了两步："哎，外地人，跟你说话呢!"

李裕智不经意地看了小要饭的一眼，心不在焉地说："你怎么知道我是外地人?"

小要饭的有些不屑："连本地人外地人都看不出来，我还算是要饭的吗?"

小要饭的竟然这么自豪，李裕智觉得他挺可爱，便道："哦，小兄弟，这个人是谁呀?"

小要饭的一笑:"这个人叫王富贵,从小死了阿爸和额吉,可能,大概,也许跟我差不多,当年也是个要饭的⋯⋯哎,外地人,你是汉人吗?"

李裕智摇了摇头:"我是蒙古人。"

小要饭的并不相信:"你是蒙古人?"小要饭的用手指着李裕智,"你这个人不实在,不可交。"

李裕智微笑:"比,蒙古勒乎,巴图尔庆格得。"

李裕智说的是蒙古话,翻译过来就是:"我是蒙古人,我叫巴图尔庆。"

小要饭的歪着头:"那你知道额吉是什么意思吗?"

李裕智随口道:"额吉就是母亲啊。"

小要饭的乐了:"还真没看出来,你真是个蒙古人。"

李裕智问:"这么说,你也是蒙古人了?"

小要饭的道:"算你聪明。"

李裕智又问:"刚才那个王富贵不是蒙古人吧?"

小要饭的一挑大拇指:"说你聪明,你还真聪明,我就喜欢结交聪明人。外地人,你来包头,是投亲呢,还是住店呢?"

李裕智是北京蒙藏学校的毕业生。北京蒙藏学校也叫国立蒙藏专门学校,是现今中央民族大学附属中学的前身。1911 年 10 月 10 日辛亥革命爆发,1912 年 1 月 1 日,孙中山在南京建立中华民国临时政府,倡导五族共和、民族平等、国家领土统一。后来,袁世凯当了中华民国总统。

民国初创,政局不稳,各地军阀混战不断,尤其是蒙古、西藏地区,形势更为严峻。在漠北草原,沙皇俄国扶植哲布尊丹巴八世活佛,在乌兰巴托宣布成立大蒙古国;在雪域高原,英国对西藏上层势力威逼利用,试图把西藏从中国分裂出去。

为了培养蒙藏少数民族人才,打击分裂势力,1912 年 9 月 9 日,袁世凯批准组建蒙藏学校。1913 年 3 月,国立蒙藏专门学校正式挂牌,在校学生的食宿和书本费全部由国家提供。

1923 年秋,李裕智、乌兰夫等 39 名蒙古族青年学生来到北京蒙藏学校。中共北方区委领导人李大钊、邓中夏、赵世炎等经常来该校组织读书会、座谈会。到1925年1月，全校120名学生中，有90人成了中共党员或青年团员。李大钊喜不自禁，称这些学生是"新生力量，革命的财富"。

李裕智有个同学叫巴振华，在同学之中，巴振华年龄最小，不过，巴振华只念了一年就退学了。虽然两个人相处时间不长，但十分投缘，李裕智这次来包头就是奔巴振华来的。

李裕智知道巴振华家住包头城内，却不知道巴振华家的具体位置，他想找家客栈先住下，慢慢打听。

李裕智对小要饭的说："我先住店吧。"

小要饭的兴高采烈地说："包头城大街小巷我都熟悉。你要是信得过我，我给你找一家既便宜又干净的客栈。"

李裕智不置可否，他问："你知道巴振华家吗？"

小要饭的眼睛忽闪两下："巴振华？多大年龄？"

李裕智想了想："比我小几岁，大概二十一二岁吧。"

小要饭的又问："他是干什么的？"

李裕智沉思一下道："他现在干什么我不知道，我和他是北京蒙藏学校的同学，我想见见他。"

小要饭的眼露喜色："行，这件事包在我身上了。哎，对了，你说你叫巴图尔庆，你也姓巴吗？"

李裕智摇了摇头："我不姓巴，我姓李，我叫李裕智，字若愚。"

小要饭的一副吃惊的样子："啊？你就是李若愚？"

李裕智疑惑地问："怎么，你认识我吗？"

小要饭的摇了摇头："不，不认识……"

小要饭的眼睛又忽闪几下，不知道在想什么，他看了看天，雨小了一些，说："包头从冬天旱到现在，就盼着下雨，你给我们带来一场好雨呀！"

李裕智一笑："我哪有那么大本事。"

小要饭的说："有，你当然有。"

小要饭的把李裕智带到一家客栈门前，说："李大哥，我就送到这儿了，咱们后会有期。"

说着，小要饭的"噔噔噔"地跑了。

李裕智推开客栈的门，店小二迎了上来。李裕智要了一间房，可往怀里一摸，身上的钱没了。李裕智一皱眉，立刻想到了小要饭的，他一个劲儿地跟我套近乎，我的钱肯定是被他偷去了。

店小二见李裕智拿不出钱，就说："先生，我们这儿是小本生意，概不赊账。要不，您再到别的地方看看？"

李裕智悻悻然，他背起包袱往外走。

突然，一个人从客栈里面走了出来，他手持大洋，往柜台上一拍，对店小二说："这位先生的账我付了。"

店小二见到了钱，忙叫住李裕智。李裕智回头一看，说话之人正是那个小要饭的，李裕智当即向小要饭的讨还自己的钱。

小要饭的不高兴了："哎，李大哥，你太贪心了吧？我替你付了账，你还向我要钱，我什么时候欠你钱了？"

小要饭的好一张伶俐的嘴，李裕智勉强地笑了一下："小兄弟，我认错人了，对不起，对不起。既然小兄弟帮我付了房钱，那请到房中一叙如何？"

小要饭的也不客气，他跟着李裕智走进客房。

李裕智突然发现小要饭的耳垂上有个眼儿，李裕智思忖，土默特蒙古男人早就不扎耳眼儿了，这个小要饭的怎么有耳眼儿呢？李裕智看了看小要饭的脸，见他脸色虽然灰暗，但皮肤细嫩，眉宇之间有几分女相。

李裕智的心一动，难道他是个小姑娘？

见李裕智如此看着自己，小要饭的警觉起来，不由得后退两步："李大哥，你想什么呢？"

李裕智不亲假亲，不近假近，他问小要饭的多大了，家中几口人，父母安好，有无兄弟姊妹。小要饭的对答如流。趁小要饭的不注意，李裕智一下子摘去小要饭的头上的破毡帽，小要饭的十几条又细又长的辫子散落下来，这是蒙古族少女最常见的发式。

小要饭的转身就跑。

“小兄弟……小妹妹……”李裕智想叫住她，可小要饭的早就不见了。

小要饭的虽然给李裕智交了房钱，可饭钱还没有。李裕智躺在炕上，“哗哗哗”，外面的雨又下大了。

朦胧中，李裕智睡着了。

也不知过了多长时间，“梆梆梆”，外面传来敲门声，李裕智惊醒：“谁呀？”

“若愚，是我，我是巴振华。”

李裕智翻身而起，他拉开门，果然巴振华站在外面。

“若愚！”

“振华！”

两个人拥抱在一起，李裕智发现巴振华身后站着一个身着蒙古袍的少女，仔细一看，这不正是那个女扮男装的小要饭的嘛！

李裕智放开巴振华，上下打量小要饭的。

巴振华道：“若愚，我给你介绍一下，这是我妹妹巴锦秀。”

李裕智哈哈大笑：“认识，认识，我的房钱还是你妹妹付的呢！”

巴锦秀脸一红，把一个小布袋递给李裕智，诡异而又歉意地说：“李大哥，你的钱我一分没动，还给你。”

巴振华不知道发生了什么事：“秀儿，你搞什么名堂？”

巴锦秀歪着头：“我，我带你见李大哥呀，我能搞什么名堂？是不是，李大哥？”

李裕智犹豫一下，嗫嚅道：“是……”

见两个人神秘的表情，巴振华猜想妹妹可能有过分的举动，于是，他向李裕智赔礼：“老同学，秀儿从小任性，做事没轻没重，还请若愚兄海涵。”

巴锦秀嘴一噘：“哥，说什么呢？”

巴振华改口道：“对了，我妹妹还疾恶如仇，敢作敢为，很有侠女之风！”

听哥哥夸自己，巴锦秀脸上露出笑容：“这还差不多。”

李裕智赞道：“卓尔不群，超凡脱俗，不一般，不一般哪！”

巴锦秀眼睛放出两道光："李大哥，你说我卓尔不群，超凡脱俗？"

李裕智点点头："是啊！"

巴锦秀又道："这么说，你喜欢我这个人了？"

李裕智不知巴锦秀是什么意思，他含糊地点点头："啊……"

巴锦秀一阵欣喜："那我们结为异姓兄妹好不好？"

巴振华拦道："秀儿，若愚兄刚下火车，一路劳累，不要瞎闹。"

巴锦秀扬起头，板着面孔："我跟李大哥拜把子，怎么胡闹了？"巴锦秀又对李裕智说，"李大哥，你说，我胡闹了吗？"

李裕智道："没有，没有。"

巴锦秀瞥了一眼巴振华："哥，你听着没？李大哥都说我没胡闹。李大哥，那你愿意跟我拜把子吗？"

巴锦秀这么问，李裕智哪能拒绝，只能说"愿意"。

巴锦秀心花怒放，她让店小二给买来一只大公鸡、一盒香和一壶酒，又把一张关公像挂在墙上。

巴锦秀焚上三炷香，她把大公鸡的两只翅膀别在一起，一脚踩着鸡爪子，一手提着鸡头，把公鸡脖子上的羽毛拔了拔。巴锦秀从靴子筒里拽出一把匕首，割开公鸡的脖子，再抓起公鸡双腿，把公鸡的血往酒碗里滴了几滴。然后，刺破自己的中指，把自己的血也滴进酒碗里。

李裕智接过匕首，也像巴锦秀那样，刺破中指。两个人喝下血酒，跪在地上向北磕头。李裕智长巴锦秀八岁，李裕智为义兄，巴锦秀为义妹。

巴振华很是吃惊，自己这个年仅十六岁的妹妹，居然对结拜仪式这么熟练，这都是从哪儿学来的？

拜把子之后，巴锦秀乐得直蹦："我又多一个哥哥啦！我又多一个哥哥啦！"

巴振华也非常高兴，他向店小二要了一桌酒菜，三个人开怀畅饮。

巴锦秀对李裕智说："大哥，你们的同学还有乌兰夫、多松年、贾力更、奎璧、吉雅泰，对吧？"

李裕智点点头："你怎么知道的？"

巴锦秀得意地说："我哥告诉我的。不过，我哥说得最多的还是大哥你。我哥可佩服你了，他经常提起你，说你在北京蒙藏学校期间，组织悼念列宁，纪念二七罢工，还学习讨论马克思的什么书，威信可高了。"

巴振华叹道："只可惜，我因家中变故退了学。我太怀念咱们在一起的美好时光了，真想和若愚兄永远在一起啊！"

李裕智郑重地说："我这次来，就是想和你在一起，咱们共同干出一番轰轰烈烈的大事。"

巴振华激动不已："真的?"

李裕智一字一顿地说："真的。"

巴锦秀急道："大哥，还有我呢！你们干大事怎么能把我丢下?"

李裕智笑道："有你，有你。"

巴锦秀悄悄地问："大哥，你们要干什么大事啊?"

第二章

你们给黑心矿主当牛做马,吃尽了苦,受尽了罪。今天他不答应给你们开支,我们就罢工,全都不干了!

李裕智 1901 年 6 月出生于土默特旗河口镇南双墙村(今属托克托县),父亲是个蒙古族贫苦农民,李裕智的乳名叫陶克陶乎,意为"保住、长命"之意。

当时流行蒙古人改汉姓,小陶克陶乎一家以李为姓。李家吃尽了不识字的苦头,砸锅卖铁也要供孩子上学。小陶克陶乎在本村读了一年私塾后,被父亲送到河口镇小学堂。这个学校既招蒙古族,也招汉族。先生看了这个大脑门、高鼻梁、厚嘴唇的九岁少年,觉得他有点憨。可一问他学了些什么,小陶克陶乎滔滔不绝,把《三字经》《弟子规》背得滚瓜烂熟。先生又让他解释文中的内容,小陶克陶乎一板一眼,说得头头是道,先生很是惊讶。

先生又让小陶克陶乎写几个字,小陶克陶乎把唐诗《锄禾》写了出来。先生见孩子字体工整,笔锋初现,赞叹不已。先生一下子想到了"大智若愚"这个词,就说:"这孩子外表平常,内心聪明,他的官名就叫裕智,字若愚吧。"

1923 年 6 月,中国共产党第三次全国代表大会在广州召开。根据共产国际的指示，结合中国革命的实际情况，中共中央做出一个关乎共产党、关乎中国命运的决定：共产党员可以以个人身份加入国民党。

国共合作的"蜜月期"开始了，中共中央决定："凡国民党无组织的地方，我党则为之建立。"1925年初，中共北方区委要在内蒙古地区建立四个工作委员会，简称"工委"，北京蒙藏学校的毕业生成了中坚力量。吉雅泰任绥远工委书记，李裕智任包头工委书记，多松年任察哈尔工委书记，吴子征任热河工委书记。

李裕智的公开身份是国民党党代表。

巴振华为之一振："若愚兄真是做大事的人哪，佩服！佩服！既然店钱已经付了，若愚兄就在这里住上一晚，我回包头召给你收拾两间房，明天你就搬到包头召。"

包头召汉名福徵寺，是巴氏家族的家庙。包头召西跨院有一所小学堂，不过，现在不叫学堂，而是叫学校了，巴振华是包头召小学的校长。庙上的当家喇嘛巴喜是巴振华的四爷爷，巴喜喇嘛慈悲为本，善念为怀，平时打坐诵经，巴振华经常帮助四爷爷处理庙上的事。

包头召大殿屋檐下挂着铜铃，春风一吹，发出悦耳的声响。几只喜鹊或叼着软草，或衔来羽毛，搭建它们安乐的巢。

巴振华把李裕智安顿在包头召东跨院的两间正房里，房间里桌椅板凳、箱子、柜子俱全，室内窗明几净，温馨惬意，李裕智非常满意。数日后，中共北方区委又派来共产党员王瑞符协助李裕智工作。

王瑞符，蒙古名道尔吉苏任，内蒙古卓索图盟喀喇沁右旗人，第二期黄埔军校毕业生。为了工作方便，李裕智和王瑞符在包头召大门外挂出了"国民党乌兰察布盟特别区党部"的木牌。

国民党党部建立了，共产党的组织有了，下一步就是发展壮大革命队伍了。

李裕智回了一趟老家南双墙村，听说本村有不少人在包头做生意，李裕智便与他们取得联系，在思想较为进步的同乡和亲朋好友中物色共产党员发展对象。李裕智向他们宣传国共两党的主张：反对军阀，反对外国侵略，取消不平等条约。这些有志青年热血沸腾，他们一个联系十个，十个联系百个，一大批优秀青年相继团结在李裕智周围。

包头工委的革命活动如火如荼地开展起来了。就在这期间，上海爆发了震惊中外的五卅运动。

1925年5月15日，沪西（今普陀区）发生了日本资本家开枪打死罢工工人领袖、共产党员顾正红事件。5月30日，上海学生和工人2000多人响应中国共产党的号召，到上海市中心公共租界地进行反帝示威游行。租界地的英国警察开枪镇压，又打死示威者13人，打伤几十人，逮捕百余人。6月1日，上海工人罢工，学生罢课，商人罢市，以工人为主体的20万人上街游行，抗议帝国主义。

李裕智、王瑞符和巴振华发动群众上街游行，声援上海"三罢"运动。

财神庙前是包头城内最繁华的地方，无数民众聚集在一起。

李裕智站在人群中间，他手拿铁喇叭筒："同胞们，日本资本家在上海枪杀中国工人，中国人向日本资本家讨还公道，却招致英国警察残酷镇压，帝国主义在中国的领土上横行霸道，草菅人命，身为炎黄子孙，我们能忍受吗？"

巴振华高呼："不能忍受！坚决反抗！"

群众高呼："不能忍受！坚决反抗！"

李裕智道："对，我们不能忍受，要坚决反抗，日本资本家必须滚出中国！"

王瑞符高呼："日本资本家滚出中国！"

群众高呼："日本资本家滚出中国！"

巴振华高呼："坚决要求英国警察释放被捕群众！"

群众高呼："坚决要求英国警察释放被捕群众！"

人们挥起拳头，口号声直冲霄汉。

巴锦秀从人群中挤了进来，她一拍李裕智的后背："大哥，这么大事你怎么不叫我一声？我还是不是你小妹？"

李裕智有点不好意思："小妹，你来得正好，我们一起声援上海工人运动。"

巴锦秀摇了摇头："上海太远了，我去不了，在这儿喊也没有用。我们眼前就有人遭受资本家的压榨，我们为什么不声援他们？"

李裕智一皱眉："谁遭受资本家压榨了？"

巴锦秀往东北方向一指："石拐煤矿工人哪！他们的工作特别苦，工资特别低，而且，好几个月拿不到工钱。咱们到石拐游行，走走走。"

巴锦秀拉着李裕智就走，李裕智想推托："小妹，从城里到石拐好几十里路，怎么去呀？"

巴锦秀眯起眼睛："大哥，我早就准备好了。"

李裕智仍不想去："小妹，游行可不是两个人的事，要发动群众，组织群众，只有群众的热情被激发出来，我们的诉求才有希望。"

巴锦秀莞尔道："大哥，我都发动好了，不信你跟我来。"

巴锦秀把李裕智拉出人群，两个人来牛桥市街，见十几个人站在一起，旁边还有两匹马，一辆车。这些人一个个衣衫不整，面黄肌瘦，他们手里拿着包子，狼吞虎咽地吃着。李裕智心说，没想到我这个结义妹妹还有一帮花子兄弟，怪不得当初她扮小要饭的那么像。

巴锦秀对众人说："这位就是我大哥，国民党党代表。我大哥带领咱们到石拐发动煤矿工人罢工去，给那些黑心矿主点儿颜色看看，让那些黑心矿主减少工人劳动时间，及时给工人开支，增加工人工钱。"

这些人一边吃着包子，一边发出含混的声音："头儿，我们听你的。"

巴锦秀一挥手："那好，走！"

李裕智小声对巴锦秀说："小妹，这还是不行……"

巴锦秀打断李裕智的话，板起脸："大哥，怎么你能行，我就不行？"

巴锦秀这么一说，李裕智也不好再说什么了，那就去吧。李裕智和巴锦秀上了马，其他人上了车。

石拐周围有十几家煤窑，有露天的，有地下的。李裕智、巴锦秀等众人正走着，见前面有一家露天矿，工人有抡锤打钎子的，有挥锹铲煤的，还有装车的，一个个光着膀子，都成了黑人。

巴锦秀和李裕智等人下马的下马，下车的下车，他们步入到工人中间，巴锦秀对正在忙碌的矿工说："各位兄弟，老少爷们儿，都别干了，都别干了。你们起得比鸡早，干得比驴多，睡得比狗少，吃尽了苦，受尽了累，可是，黑心老板却不给你们按时开支，现在我们为你们讨要工钱来了。"

工人们只是抬头看了看巴锦秀，不加理会，接着干活。

巴锦秀拦住一个装车的矿工："大哥，你们这么辛苦，老板不给你们开支，你们为什么还要给他卖命？"

这个工人头大脖子粗，胸前和胳膊上的肌肉像小老鼠一般滚动。他的牙并不白，可他的脸太黑了，一张嘴，显得牙如雪一般，他憨声憨气地说："我们不干活，一家老小喝西北风啊？"

巴锦秀被呛，暗道，这个人怎么这么说话？真是不知好歹！她刚想发作，另一个装车工人道："老板早晚会开支的。"

巴锦秀问："早晚是多长时间？三天还是五天？一个月还是两个月？半年还是一年？你们这么苦等，什么时候是个头啊？"

这个工人不作声了，但手中的活并没停。

巴锦秀又对一个抢锤打钎子的人说："这位大哥，你们这样没白天没黑夜地干，黑心矿主不给你们开工钱，你们一家老小，不是真的要喝西北风了吗？我们这些人就是要像梁山英雄好汉那样替天行道，行侠仗义……"

不等巴锦秀说完，这个人转过身去，背对巴锦秀，一边抢锤打钎子，一边说："谁不知包头城里的'梁山'，说是替天行道，行侠仗义，背地里给当官的看家护院，溜须拍马，专门欺负老百姓。"

巴锦秀忙解释道："我们是真正的梁山好汉，跟城里讨吃窑的'梁山'不一样……"巴锦秀一时不知说什么恰当，"我们是，我们路见不平，拔刀相助……我们专门为穷人说话，为穷人办事，为穷人办好事……"

这个人充耳不闻，拎着大锤离开了巴锦秀。

巴锦秀有点泄气，但她的心如火一般炽热。巴锦秀又来到一个挥锹挖煤的工人近前："这位大哥，你别怕。"她一指李裕智，"他是我大哥，是国民党的党代表，他带领我们给你们做主。咱们一起罢工，让黑心老板给你们发工资，涨工钱，让你们一家老小过上好日子。"

这个工人直起腰看了一眼李裕智，目光又转回巴锦秀，他平静地问："要是老板给我们开了工钱，你们分多少？"

巴锦秀一时语塞："分你的钱？谁说我们要分你们的钱？我们分你们的钱干什么？我们只是为你做事，一分一文也不要。要是收了你们的钱，那还算是替天行道、行侠仗义吗？"

这个工人提着铁锹换了一个地方，接着干活，嘴里嘟囔道："一分一文也不要，把我们当三岁的孩子骗呢？"

巴锦秀仍很执着，她跟十几个矿工搭讪，可矿工不是躲着她，就是不说话，要么转身就走。巴锦秀无可奈何。

这时，远处的工棚里出来三个大汉，其中一个走在前面，此人身着灰色对襟短褂，脚上是千层底的布鞋，嘴里叼着烟斗。

短褂男人带着两个汉子来到巴锦秀面前，他吐了口烟："你们是干什么的？"

巴锦秀两手叉腰，满不在乎，她反问："你是干什么的？"

短褂男人摁了摁烟锅，用烟嘴儿指了指自己，傲气十足地说："我就是这个窑的老板，这一片都是我说了算。"

巴锦秀怒道："你让他们拼死拼活地干活，还克扣他们的工资，不按时给他们开工钱，我们是来组织他们罢工的！"

短褂男人嘿嘿一阵冷笑："罢工？好啊！不想在我这里干，随便！我这里什么都缺，就是不缺人。"

巴锦秀愤愤地说："你吃工人的肉，喝工人的血，还这么蛮横！"巴锦秀面向工人："弟兄们，老少爷们儿们，你们给黑心矿主当牛做马，吃尽了苦，受尽了罪。今天他不答应给你们开支，我们就罢工，全都不干了！"

短褂男人撇了撇嘴，向工人问道："你们谁不想干？谁不想干？"

短褂男人连问好几声，工人都低头干活，没有一个人答话。

巴锦秀高声道："弟兄们，老少爷们儿们，不要怕，有我大哥和我给你们做主，我们一起向黑心老板讨还公道……"

巴锦秀嗓子都要喊破了，可根本没人理她。巴锦秀气得直跺脚："难道你们就像绵羊一样任人欺压，任人宰割吗……"

地上煤粉飞起，呛得巴锦秀直咳嗽。

短褂男人很得意："怎么样？姑娘，请吧。"

巴锦秀哪里肯走，她学着李裕智在城里游行的样子，振臂高呼："打倒黑心矿主！按时给工人发放工钱！"

只有巴锦秀带来的那十几个衣着不整的人随着喊口号，李裕智没张口，那些矿工也没有一个人响应。

短褂男人急了："怎么着，想找不自在是不是？"他对工人道，"兄弟们，这些人蛊惑你们罢工，想从你们身上捞油水，抄家伙，把他们赶走！"

巴锦秀说了半天没人理，可短褂男人一声令下，矿工立刻拿起手中的锹镐铁锤向巴锦秀围拢过来。

巴锦秀大怒："怎么着？想打架吗？"她向后一摆手，"弟兄们，上！"

李裕智见要出事，他忙道："小妹，且慢！"

李裕智向矿主一抱拳："误会，误会，误会了。我这个妹妹是闹着玩的，她跟人打赌，说能让矿工罢工。大家别在意，别在意。"

短褂男人怒道："有这么打赌的吗？打赌怎么不到你们家罢工去呢？"

李裕智没有接短褂男人的话，他回头向巴锦秀挤眼："我不让你打这种赌，你还不信。这回知道了吧？行了，行了，上马，回去吧。"

李裕智把巴锦秀扶上马，带着十几个人走了。

出了山沟，巴锦秀把马带住，她质问李裕智："你还是不是我大哥？"

李裕智道："当然是。"

巴锦秀瞪着眼睛："那我鼓动矿工罢工，你为什么不和咱们的弟兄一起喊口号？你在包头城内示威的劲头都哪儿去了？"

中国共产党是无产阶级的政党，共产党成立之初，除了苏联没有任何可以借鉴的模式。苏联是以工人阶级为领导、以工农联盟为基础的政权，中国共产党效法苏联，把工人阶级视为革命的主要力量。但是，中国以农业为主，工人很少，石拐煤矿是包头地区工人集中的地方。李裕智来到包头不久，就到石拐煤矿了解过情况。石拐煤矿大部分是地下煤窑，煤窑透水塌方时有发生。一旦透水塌方，矿工几乎没有生还可能。因此，煤矿工人都不愿意下井，都想在露天煤窑干活。露天矿虽然工资低，但至少没有生命危险。因为这层关系，露天煤窑招工要比地下煤窑容易得多。露天矿老板摸透了矿工的心，常常不按时开支。

李裕智耐心地说："小妹，发动矿工罢工首先要深入到工人中间，和他们打成一片，让他们了解我们，相信我们。现在他们既不了解我们，也不相信我们，甚至还认为我们不怀好意，榨他们的油水，你想，他们怎么可能听我们的？"

巴锦秀觉得李裕智说得在理，她的气消了一些："这些人，狗咬吕洞宾，不识好人心，活该受罪，他们的事，我再也不管了。"

第三章

　　李裕智奇怪，王富贵被人打倒在地，居然一手不还，挺着挨打！他连割自己的肉都不在乎，难道在乎跟人打架吗？

　　五卅运动坚持了二十多天，日本老板不得不请中国商人出面调停，日方承认工人成立的工会，保证不打工人，释放被捕工人，增加工人工资。共产党为保存革命力量，巩固成果，决定8月中旬复工。

　　五卅运动打击了帝国主义的嚣张气焰，提高了中国人民的觉悟，为大革命的到来奠定了一定的基础。同时，中国共产党在领导五卅运动的斗争中经受住了考验，得到了锻炼，受到了启发，党组织迅速扩大，党员人数由1925年初的994人，到当年年底竟达到10000余人，增长了10倍还多。

　　李裕智虽然以包头召为党的活动中心，但革命必然有危险，也必然有牺牲，他深知狡兔三窟的道理，为了把危险降到最低，把牺牲降到最小，李裕智决定再设立几个地下交通站。

　　李裕智看上了城内大西街的一个小四合院。大西街是今天包头市东河区西脑包大街的一段。李裕智、王瑞符筹措一笔资金，租下了这个院子，办起了一家明德照相馆，一方面为革命筹措资金，另一方面掩护革命活动。

　　李裕智在明德照相馆组织成立一个学习小组，他和王瑞符、巴振华深入到地毯厂、铁器厂、泥瓦场、甘草店、皮行店等地，动员蒙满回汉各族进步青年来照相馆免费学习。考虑到巴振华是包头召小学的校长，学校工作脱不开身，李裕智就把学习小组的日常工作交给了刘兆高，巴振华闲暇时协助刘兆高。学习小组由李裕智和王瑞符两个人授课，授课的主要内容是苏联的十月革命、马克思主义理论和孙中山的三民主义。没多久，来学习的进步青年就达50多人。

冯玉祥是个较为开明的军阀，他认为，中国落后的原因是科技落后，科技落后的原因是教育落后，要使中国富强起来，必须着力提升国民教育。在冯玉祥的倡导下，一些有条件的地区纷纷开办扫盲学校，普及文化，开启民智。

扫盲学校在包头遍地开花，其中一所设在包头召小学。扫盲学校主要是针对成人。成人需要挣钱养家，因此，扫盲学校一般都在晚上上课。每天上课一个多小时，学生不但免费入学，还免费发放课本和文具。

扫盲学校也是深入群众的一种方式，李裕智、王瑞符又做了包头召扫盲学校的老师，他们和巴振华三个人轮流上课。

今天是李裕智上课，李裕智看了一下怀表，已经是晚上七点十分了。

七点半就要上课，李裕智拿起教案，出了宿舍，由东跨院向西跨院包头召小学走去。穿过包头召大殿时，忽听里面传来哭声——

"宗喀巴神佛，请您发发慈悲，救救孩子他爹，救救我们一家吧！我上有瘫痪的婆婆，下有两个孩子，我们家全靠他爹在煤窑上挣点苦力钱，哪知煤窑塌方，孩子他爹被埋在井下，黑心矿主不但不救人，还反说他爹逃走……"

李裕智大惊，什么？煤窑塌方了！

李裕智疾步走进大殿，见一个二十五六岁的女人跪在宗喀巴佛像前，女人衣着不整，满脸泪痕。

李裕智搀起女人："大嫂，你是说石拐煤窑塌方了？"

女人见李裕智方头大额，两眼有神，一脸和善，她激动万分，连连向宗喀巴佛像磕头："神佛显灵了！神佛显灵了！谢谢神佛！谢谢神佛！"

女人又转身给李裕智磕头："活菩萨，活菩萨，求你救救孩子他爹，救救我们一家人吧……"

听女人哭述，李裕智得知——三天前，女人的丈夫和工友下了井没上来。矿工家属不见自己的亲人，纷纷来到矿上，老板不但不救人，却谎称矿工偷了煤窑的财物逃跑了。家属哪里相信，经打听才知道，在两个班交接之际，煤窑突然塌方，井下十几个矿工生死不明。

矿主有自己的算盘，如果把井下的人救上来，死的要给安葬费，活的要给看病治伤，这是一笔巨大的开支。可要说矿工逃跑了，他什么也不用赔偿。

这个女人心系丈夫，她跑了几十里山路，专程来包头城状告矿主，因天色已晚，没钱住店，投宿到包头召。

李裕智连夜召集王瑞符、巴振华开会。三人认为，煤窑塌方已经过去了七十二小时，就算是能把塌方处挖开，那也得好几天，井下矿工几乎没有生还可能。

李裕智提出了一个大胆的想法，他要到石拐煤矿当矿工，发动工人，培养革命力量，择机举行罢工。王瑞符和巴振华也认为这是扩大国共两党影响的良好契机，但是，对李裕智孤身深入到煤矿之中都不放心。

王瑞符说："若愚，我们两个一起去，如果有什么事，还可以相互照应。"

巴振华也表示同意："是啊，若愚。"

李裕智沉吟一下："也好，那学习小组的工作就交给刘兆高，让他把担子挑起来。"

巴振华点点头，却又皱了皱眉："学习小组没问题，我担心的是你们。矿工工作十分辛苦，井下的条件十分恶劣，你们可要多保重啊！"

三个人正说着，门开了，巴锦秀闯了进来："大哥，我也要跟你去石拐当矿工。"

李裕智站起："小妹，这么晚了，你怎么跑来了？"

巴锦秀目光如炬："你什么事总是自己做主，根本不跟我商量，我不跑来我怎么知道你要去当矿工？"

巴锦秀的话似乎超出了义妹对义兄的关心，巴振华低下头，王瑞符看着李裕智。李裕智仿佛身上扎了刺一般,手脚不知往哪里放才好,脸上有些发烫。

巴锦秀却不以为然,她坦坦荡荡:"我跟你去,我要照顾你。"

李裕智婉言相拒:"小妹,你听说有女矿工吗?"

巴锦秀笑了:"难道大哥忘了,我可以女扮男装啊!"

李裕智连连摇头:"那就更不行了,矿工在井下干活逮哪儿拉哪儿,逮哪儿尿哪儿,而且,干起活来经常赤身裸体,一个姑娘家怎么能去那地方?"

王瑞符也说:"是啊是啊,巴小姐,你不能去。"

巴锦秀虽然说过再也不管矿工的事了,可她对上次石拐发动罢工未果仍心有不甘。她直挠脑袋,别的都好办,关键是矿工井下不穿衣服……

见巴锦秀犯难,李裕智心中窃喜,他安慰道:"小妹,我们这次去煤矿,就是要组织罢工,给你出气,给矿工撑腰,对了,还有你说的'替天行道,行侠仗义',好好教训教训那些黑心老板,完成你的心愿。"

巴振华终于开口了:"秀儿,你就听若愚的。"

巴锦秀无可奈何:"那好吧,不过,咱们可有言在先:罢工的时候,游行的时候,你们可一定要通知我。"

李裕智"嗯"了一声。

石拐煤矿的十几家煤窑不是孤立的,他们有个共同的组织,叫石拐煤矿同业会。同业会虽然是商会性质的民间组织,但有一定的行政职能,各煤窑之间互通信息,共同操控市场煤价,一起压榨矿工。

李裕智和王瑞符换上破衣烂衫,两个人走进石拐煤矿,找到那女人说的煤窑。煤窑因为刚刚塌方,矿工不足,矿主一听李裕智和王瑞符是求职的,当即答应下来。

这是一家地下煤窑,矿井口支着一个大三脚架,大三脚架一丈多高,中间有个滑轮,一条鸡蛋粗的绳子通过滑轮垂向黑洞洞的矿井。

离大三脚架不远有两个小三脚架,两个小三脚架支起一个辘轳,辘轳上绕着的绳子与大三脚架滑轮上的绳子相连。有人赶着两匹骡子,两匹骡子拉着辘轳,"吱呀呀""吱呀呀"地响。

不一会儿，井口升上一个吊盘。吊盘差不多五尺见方，四周有四根立柱。吊盘以四根立柱为骨架，四面由齐胸高的木板围成一个槽，槽的一侧有个门。两条绳子兜着吊盘的底在木板槽上交汇在一起，连着滑轮。

打开吊盘上的门，七八个矿工从吊盘上走了下来。矿工一个个黑得如同墨里泡过的一般。

李裕智和王瑞符戴着矿工帽，提着矿灯，跟着一群人上了吊盘。

吊盘的绳子缓缓放下，随着吊盘下行，光线越来越暗。大约有半袋烟的工夫，吊盘下到矿井底。李裕智和王瑞符抬起头，见矿井口只有盆底那么大。

井下漆黑一片，有人点燃矿灯。矿灯以电石气照明，灯座像罐头瓶子，上面是提手，侧面有个气嘴，气嘴后有个反光罩。点燃气嘴，灯亮了起来。

在矿灯的照射下，见七八个人走上吊盘，吊盘升起。

李裕智和王瑞符失去了方向感，就听工头吆喝："过来！过来！这边！这边！"

李裕智和王瑞符随着人流走进一个巷道，在这地狱一般黑暗的矿井中，矿灯的光是微弱的。李裕智注视着王瑞符，王瑞符也在看着他，两个人以眼神相互鼓励。

不多时，李裕智适应了巷道里的黑暗，他发现这个巷道有一丈多高，两臂多宽，中间支着木杆，人从木杆两边行走。到了木杆尽头，见地上放着锹镐和背篓。

李裕智、王瑞符这群人分成三组，一组抡镐刨煤，二组挥锹往背篓里装煤，三组把背篓的煤背到吊盘升降的地方。

王瑞符身边有个三十七八岁的中年人，这个年龄的人就是老矿工了，王瑞符跟老矿工搭讪："老哥，这活不好干哪！"

老矿工叹了口气："但凡有一点办法谁会下井？大伙都是为多挣几个钱。"

王瑞符问："老哥，你家几口人？"

老矿工道："七口，两个老人，三个孩子，还有孩子娘。"

李裕智问："二老身体都好吧？"

老矿工摇摇头："好什么呀，我爹当了二十多年矿工，在一次挖煤时，被一大块煤砸断了腿。我娘常年有病，孩子娘既要照顾老的，又要照顾小的。"

王瑞符灵机一动："听说前些日子这个煤窑塌方了，好多人被埋……"

王瑞符话音未落，"啪"，一鞭子抽在他背上："你活腻了？赶紧干活，再偷懒小心老子打死你！"

王瑞符回头一看，见是工头，他怒道："我不是哑巴，为什么不让说话？"

"啪"，又一鞭子，工头骂道："干活的时候，你就得是哑巴！"

李裕智上前劝阻："有话好说，有话好说，我们是新来的，不懂规矩，请工头高抬贵手，下不为例，下不为例。"

老矿工也过来说情，工头这才放下鞭子："快点干活！"

几天后，李裕智和王瑞符了解到，在这个煤窑里，矿工每天下井长达14个小时，每小时背煤6趟，每趟背100多斤，平均一个矿工一天要背七八千斤煤。按说，背这么多煤，矿工每月可以赚到两块大洋，可矿主常常以矿工不按操作规程为由扣发工钱。就算什么毛病也没有，工头还要十抽三。这样算下来，矿工一个月拼死拼活只能赚到一块大洋。可就是一块大洋，矿主也不按时发放，总是这个月拖到下个月，下个月拖到再下个月。

这还是其次，最重要的是矿工的安全无法保证。因为井下作业，瓦斯爆炸、巷道塌方、井下透水等矿难时有发生。一旦发生事故，矿主与官府勾结，矿工家属控告无门。就算矿工侥幸活下来，像老矿工父亲那样伤残，矿主也不过象征性地给点钱了事。

李裕智、王瑞符和工友们熟悉起来，两个人利用吃饭、解手时间向他们讲五四运动、五卅运动，讲国民党、共产党，讲法国大革命和苏联十月革命……向他们灌输革命道理，引导矿工维护自己的权利。矿工们一个个听得激动不已，热血沸腾。

渐渐地，两个人取得了矿工的信任，赢得了矿工的尊重，李裕智被称李先生，王瑞符被称王先生。

老矿工悄悄地说："说老实话，这些年，我眼睛看到的，耳朵听到的，发生的矿难太多了。李先生，王先生，你们有文化，有见识，你们能不能也带领我们搞一次罢工，让那些黑心矿主给我们增加工钱，对死去亲人的矿工家属给予合理的赔偿？"

其他矿工也说："是啊，李先生，王先生，你们就带我们干吧！"

李裕智说："光凭我们这十几个人、几十个人还不够。如果罢工，就得让同业会诚惶诚恐，让矿主心惊胆战，所以，我们必须把各煤窑的矿工都组织起来，只有这样，罢工才能成功。"

王瑞符也说："人多力量大。人心齐，泰山移，我们还要发动更多的矿工兄弟。"

老矿工激动地说："我在煤矿干的时间长，石拐各煤窑都有我认识的人。"

李裕智和王瑞符把老矿工熟悉的矿工名字一一记下。

李裕智和王瑞符掌握了这家煤矿的情况就准备离开，矿主态度十分恶劣："走人可以，工钱一分没有。"

两个人的目的不在工钱，也没跟矿主多计较就离开了。

为了多发动工人，尽快举行罢工，李裕智和王瑞符分头行动。

李裕智又来到一家煤矿，这天，他刚走进巷道，就听里面传来吵骂声。李裕智过去一看，见两个人赤膊相向，一个二十四五岁，长方脸，薄嘴唇，怒目横眉，身后站着高矮胖瘦瘤五个人；另一个二十六七岁，豹头虎目，神情剽悍，但身后一个人也没有。旁边站着个白净脸，白净脸身着灰绸子短衫，脚上是一双圆口黑色布鞋，手里拎着鞭子，一看就是工头。

李裕智一惊，那个豹头虎目之人不是庙里割自己肉上供的王富贵嘛！

李裕智对王富贵既鄙视又折服，能割自己的肉，那可不是谁都能做到的！但为了升官发财，这又让李裕智很是瞧不起。

工头在一旁叫号："打！打！谁不打谁是姑娘养的。"

方脸薄唇汉子一步步紧逼，王富贵一步步往后退。

王富贵已经被逼到巷道壁，退无可退了，方脸薄唇汉子大喝一声："无耻小人！"

方脸薄唇汉子一个左勾拳打在王富贵腮上，血从王富贵嘴角流了下来，王富贵没有还手。方脸薄唇汉子又一个右勾拳，王富贵站立不稳，重重地摔倒在地。

方脸薄唇汉子不管脑袋还是屁股，一通狂踢乱踹，王富贵佝偻着身子，双手抱头，一语不发。

李裕智奇怪，王富贵被人打倒在地，居然一手不还，挺着挨打！他连割自己的肉都不在乎，难道在乎跟人打架吗？

工头连声叫好："好！打得好！"

在工头的怂恿下，方脸薄唇汉子瞪起双眼，抄起一把铁镐，高高举起。眼看就要出人命了，李裕智忙上前拉住方脸薄唇汉子的手："兄弟，都是矿工，都是受苦人，他一手没还，就饶了他吧。"

没等方脸薄唇汉子说话，倒在地上的王富贵开口了："不用你管，让他打死我！"

李裕智更不明白了，这个王富贵不但挺着挨打，居然还想让人打死他！

工头仍在叫号："打死他！打死他！"

方脸薄唇汉子推开李裕智，抢起铁镐，照王富贵的脑袋就下去了，耳轮中就听"咔嚓"一声。

第四章

　　水柱像发疯的公牛，眨眼就有铜盆大小，瞬间，地上的水没
上了小腿。工头见大水呼啸而来，他和两个打手跳到吊盘上，工
头朝上面狂叫："快绞绳子！快绞绳子！"

　　如果方脸薄唇汉子的铁镐落到王富贵头上，王富贵必然命丧当场。可
就在这千钧一发之际，李裕智猛地一拽王富贵的胳膊，铁镐紧贴王富贵的
耳边落下，"咔嚓"一声，镐把断了，王富贵魂飞魄散。

　　李裕智推了一把王富贵："还不快跑？"

　　王富贵跑出没几步，工头一伸腿，他被绊了一跤，"扑通"一个嘴
啃泥。

　　方脸薄唇汉子举镐把追来，李裕智抱住他的腰："兄弟，得饶人处且
饶人，他已经服了，算了，算了。"

　　工头大叫："他们俩是一伙的！"

　　工头话音刚落，李裕智后脑"咚咚"挨了两记重拳，李裕智眼前金星
乱窜。与此同时，方脸薄唇汉子用镐把往后一戳，李裕智小腹疼痛钻心，
他不得不放开手，捂小腹蹲了下去。

　　方脸薄唇汉子拎着镐把冲向王富贵，一通乱打。王富贵浑身是血，眨
眼之间，就不动了。

有人叫道:"死了!死了!"

方脸薄唇汉子走向高矮胖瘦瘸五个人,瘸矿工递过一个水碗,方脸薄唇汉子"咕嘟咕嘟"喝着水。

李裕智心说,王富贵毕竟是一条人命啊,他们就这样把他打死了?李裕智忍痛上前,伸手在王富贵的鼻子上试了试,仿佛还有气。

见李裕智仍然关心王富贵,方脸薄唇汉子把水碗一扔,一步步逼向李裕智,高矮胖瘦瘸五个矿工也跟了过来。

方脸薄唇汉子一努嘴,高个矿工飞脚踹向李裕智前额,李裕智仰面摔倒;矮个矿工抬脚跺向李裕智,李裕智伸双手护胸,矮个矿工的脚落在李裕智小臂上;胖矿工举起铁锹,照李裕智的头就劈,李裕智就地一滚,这锹走空了;瘦矿工挥铁镐,当胸刨了下来,李裕智再一滚,铁镐刨入煤层半尺多深,瘦矿工左右晃了两下镐把,居然没拔出来;瘸矿工抱起一大块煤,照李裕智的头就砸,李裕智又一滚,煤块落地,煤渣四溅。

李裕智一忍再忍,可这几个人下的是死手,毫不留情。如果自己再不还手,他们哪里知道马王爷三只眼。李裕智双眉蹙起,必须好好教训教训这些人!李裕智一个鲤鱼打挺站了起来。

工头有些吃惊:"没看出来,还有两下子。"

李裕智岂止是有两下子,他上北京蒙藏学校之前,曾师从归绥一位回族武术大师,虽然说不上身怀绝技,但防身绰绰有余。

高矮胖瘦瘸五个矿工没有伤到李裕智,不禁心里火起,方脸薄唇汉子有点吃不住了,他怒道:"打死他!"

高个矿工当胸一拳,李裕智一侧身,"啪",单手抓住他的腕子,用力一拧,高个矿工大叫:"哎哟!哎哟……"

李裕智往外一推,高个矿工"噔噔噔"斜跨三四步,一个跟头栽倒。矮个矿工抬腿就是一脚,李裕智后退半步,"嘭",抓住他的脚脖子,往上一抬,矮个矿工哪里站得住,"扑通"一声,四脚朝天。胖矿工举铁锹劈向李裕智,李裕智闪身躲过,身形一转,贴近胖矿工的后背,李裕智抬起腿,照着他的小腿弯处就是一脚,胖矿工一下子跪下了。

此时,瘦矿工的铁镐已经从煤层里拔了出来,他横着向李裕智头上抡去，李裕智一俯身，铁镐从头顶飞过。李裕智就势一个扫堂腿，瘦矿工重重摔倒。李裕智刚要直起腰，瘸矿工双手抱着背煤的背篓，一下子扣在李裕智头上。高矮两个矿工爬起来，一拥齐上，和瘸矿工三个人狠命地往下摁背篓，李裕智虽然有把子力气，可要从背篓下出来却是难上加难。

工头拍手道："好好！打得好！"

方脸薄唇汉子得到工头的肯定如释重负，他对胖瘦两个矿工说："你们过去，一起弄死他！"

胖矿工举着铁锹对高矮瘸三个矿工说："让开，我劈了他！"

瘦矿工也举着铁镐："我刨死他！"

高矮瘸三个矿工往后一撤，胖矿工的锹劈了下来。李裕智蹲在背篓中，见胖矿工的锹劈下来，他双手擎着背篓"噌"地站起，胖矿工的锹落在背篓上，背篓还挺结实，不但没破，反把锹弹了起来。

瘦矿工见胖矿工没伤到李裕智，他的铁镐由上而下刨向背篓里的李裕智。铁镐是带尖的，而且，比铁锹重得多，如果铁镐落下来，必然穿透背篓，加之铁镐的惯性，镐尖极有可能伤到李裕智的头。

危急时刻，李裕智把背篓抛向铁镐，铁镐在空中扎进背篓，往下的速度减慢，李裕智侧身闪开，瘦矿工的铁镐和背篓同时落地。

李裕智飞起一脚，"咣"，踹在瘦矿工的软肋上，瘦矿工一声闷哼，倒地不起，嘴角流出血来。

胖矿工的铁锹又劈了下来，李裕智让过锹头，抓住锹杆，当胸一拳，瘦矿工铁锹撒手，摔出五六步，拱了两拱，没爬起来。

见胖瘦两个矿工都被李裕智打倒，方脸薄唇汉子骂道："饭桶！"

方脸薄唇汉子晃手中镐把，高矮瘸三个矿工人手一把铁锹，四个人包抄过来。李裕智把从胖矿工手中夺过的铁锹一掉头，照着最前面的高个矿工大腿戳去，高个矿工大叫一声倒了下去。矮瘸两个矿工举铁锹就劈，李裕智往后一退，两把铁锹落地。李裕智手中铁锹往地上一拄，身子就势飞起，"咣咣"两脚，矮瘸两个矿工被踹出七八步，鼻口流血，也起不来了。

方脸薄唇汉子大怒，举镐把打向李裕智头顶，李裕智让过对方的镐把，手中铁锹泰山压顶式劈向方脸薄唇汉子。

一旁的工头"咦"了一声。

如果这锹实打实地劈下去，纵是铁锹刃不够锋利，方脸薄唇汉子的脑袋也会被劈开，可是，就在铁锹到了方脸薄唇汉子脑袋上不到一尺高的时候，李裕智的心一动，我来下井不是为了杀人，而是要发动矿工罢工。行了，给他点颜色就行了。李裕智的手一转，铁锹刃转了九十度，力气骤减五分，锹面朝下，拍在方脸薄唇汉子头上。

就是这样，方脸薄唇汉子也受不了了，他身子一晃，瘫了下去。

擒贼擒王，李裕智一脚踩在方脸薄唇汉子的脖子上，方脸薄唇汉子直翻白眼，嘴里"呜噜呜噜"地说："大爷饶命，大爷饶命，我媳妇死了，留下一个不满周岁的儿子……"

李裕智觉得方脸薄唇汉子瞎话编得不够圆满，冷笑道："你还有八十岁老母无人奉养，是不是？"

哪知方脸薄唇汉子却道："我没有八十岁老母，我从小就没爹没娘，媳妇也没了。我只有一个儿子，我要是死了，我儿子也活不成。"

李裕智觉得方脸薄唇汉子说的似乎不是谎言，就抬起了脚，方脸薄唇汉子站了起来。

工头拍了拍李裕智的肩："打得好！打得好！有种！从今天开始，你就是他们的头。只要你听我的，没你亏吃。"

李裕智没说话，工头以为李裕智答应了，他道："行了，你带他们好好干活吧。"

方脸薄唇汉子和高矮胖瘦瘌五人战战兢兢，高个矿工扯下短裤，把自己大腿的伤缠了缠。六个人各拿工具，干起活来。

上井之后，高矮胖瘦瘌五个人悄悄地拉住李裕智，说要请李裕智吃饭。这可是一件非常奢侈的事，矿工挣点钱多难哪，可他们竟要请李裕智吃饭！

五个人把李裕智带到一家小饭馆，他们跪在李裕智面前："大爷，我们上有老，下有小，只为挣点钱养家糊口，你不要打死我们，求你了，大爷。"

李裕智如坠雾中："我没想打死你们哪！谁说我要打死你们？"

高个矿工说："我们知道你是好人，你不想打死我们，可是，工头一定会让你打死我们的……"

李裕智一脸疑惑，他把高矮胖瘦瘸五个人扶起："这是为什么？"

原来，那个方脸薄唇汉子叫冯来福，他和高矮胖瘦瘸五个矿工都是工头的打手，冯来福是这五个人的头。每到开支之前，矿主就授意工头，让打手打死一批矿工，以省下部分开支。如果他们没有把人打死，反被别人打伤，那工头就要换一个打手头，让打手头再找一些人，把前一批打手打死，冯来福和这五个矿工就是这样成为打手头和打手的。李裕智大惊，他知道矿主和工头黑，但没想到他们黑到如此地步！

李裕智道："那矿工家属来要人怎么办？"

高个矿工说："大爷，矿主早就买通了警察，矿工家属不来还好，如果来要人，矿主反咬矿工盗窃矿上财物逃走，矿主还要向矿工家属索赔呢！"

李裕智一拳砸在桌子上，桌子上的碗颠起半尺高："这简直是在喝人血！"

几个人小心翼翼地说："谁说不是呢……"

李裕智喝问："矿主和工头让你们把人打死，你们就打死？"

高个矿工嘴咧得跟吃了黄连似的："大爷，我们也不想打死人，可我们不打死别人，工头就让别人打死我们。"

矮胖瘦瘸四个矿工也都说："是啊，是啊，我们也没办法。"

李裕智又问："那你们不在这儿干不行吗？"

几个人道："矿主押了我们半年工钱，我们想把这点钱将就回来。"

李裕智哀其不幸，怒其不争："矿主、工头视人命如草芥，怎么可能把钱给你们呢？"

高个矿工支吾着，说不出个所以然来。李裕智知道，他们还对矿主和工头抱有希望。李裕智的心如同掉进冰窟一般，他们把别人打死，又怕别人把他们打死，可就是没想联合起来反抗黑心的矿主和工头。

李裕智叹道："我饶你们一时，却饶不了你们一世啊！"

五个人又跪下磕头："大爷，你就发发慈悲吧！"

李裕智叫五个人都起来，他道："我不是这个意思，我是说，哪天我走了，又有新人充当矿主、工头的打手，他要是把你们打死怎么办？"

五个人面面相觑，高个矿工说："没办法，我们只能活一天算一天。"

李裕智低声说："我有办法。"

五个人都望着李裕智："什么办法？"

李裕智左右看了看，小饭馆中只有他们六人，李裕智低沉有力地说："罢工！"

高个矿工道："罢工？那我们怎么养家糊口啊？"

李裕智说："只有罢工才能维护矿工的权益，才能使矿主不敢草菅人命，不能随便扣我们的工钱！"

李裕智以五卅运动为例，向他们讲中外的革命形势，宣传革命道理，高矮胖瘦瘸五个矿工激动不已，都表示要跟李裕智一起干。

李裕智想到了冯来福骂王富贵"无耻小人"，他又问冯来福和王富贵之间的关系。高矮胖瘦瘸五个矿工你一言，我一语——原来，冯来福和王富贵都在包头城内的"梁山"里混过，当初他们有七个把兄弟，不知怎么死了五个，只剩下他们两人。后来，冯来福娶了个媳妇，那媳妇挺漂亮，王富贵对冯来福媳妇起了歹念，冯来福发现后，失手打死了自己的老婆，留下一个不满周岁的儿子。王富贵一到这个窑，冯来福就要打死他，但工头没让，现在要开支了，工头才同意。

李裕智的心一紧，不知是同情冯来福，还是痛恨王富贵。

一连数日，李裕智再也没见到冯来福和王富贵。

这个窑上的矿工发动起来，李裕智又去了下一家。一批又一批矿工的激情被点燃了。

这天，李裕智和工友们已经干了十几个小时，每个人都十分疲惫。

李裕智把一篓煤倒在煤堆上，他拎着背篓回到巷道。"咕噜咕噜"，一块碌碡大小的煤块滚到李裕智面前。如果是以往，这么大块煤滚过来，一定会溅起浓烈的煤尘，但这块煤几乎没有溅起的煤尘。

李裕智太累了，他想坐在这块煤上歇一会儿。可屁股刚一接触煤块，就觉得下面湿乎乎的，李裕智一摸，煤上全是水。他低头看了看地面，地面并不湿。

李裕智有点奇怪，他站起身，来到挖煤的掌子面。掌子面是采煤向前推进的工作面。

两个工友半睁着眼睛，无力地挥动铁镐。

李裕智摸了摸刨下的煤，又摸了摸掌子面，都是湿漉漉的，他提矿灯一照，见掌子面上布满了水珠。

李裕智走了多家煤窑，耳濡目染，积累了一些经验，如果巷道壁出现水珠，往往是透水前兆。李裕智大叫："要透水了，快撤！"

刨煤的工友扔下铁镐就跑，李裕智等人刚出巷道，就被工头拦住了。

工头带着两个打手，他喝道："还没到上井时间，你们去哪儿？"

李裕智往里一指："掌子面渗水，马上就透水了！"

工头怒道："胡说！什么透水？分明是你们偷懒耍滑！去，都给老子干活去。不到上井时间，谁也不准出来！谁再往外跑，老子扣他工资！"

矿工们回到巷道，李裕智举起铁镐，在掌子面刨了两下，随着一块煤落下，水从掌子面"哗哗"地流了下来。

李裕智带着工友又跑出巷道，他对各巷道大声喊："要透水啦，快上井啊！要透水啦，快上井啊！"

各巷道的矿工都往井口处跑，工头急了："都给老子回去！谁不回去，老子扣谁半个月工钱！"

有矿工疑惑地问李裕智，哪里透水了？

李裕智把自己发现的情况告诉大家，工头急了，骂道："放屁！水在哪儿？谁见到水了？谁见到水了？啊？"

矿工们望着那个巷道，确实没有水流出。

工头大叫："老子数三个数，谁要不回巷道，老子就扣他一个月工钱，一个月工钱，听清了吗？一——二——三——"

矿工们向各自的巷道走去。

李裕智踟蹰不前，两个矿工劝他："不会透水吧，还是回巷道吧，要不一个月就白干了。"

回到巷道，一个工友举镐刨煤，铁镐落下，"呼"的一声，碗口粗的水柱从掌子面喷出，那个工友登时被水柱击倒，众矿工转身就跑，李裕智拉起这个工友，两个人随众矿工跑向井口。

水柱像发疯的公牛，眨眼就有铜盆大小，瞬间，地上的水没上了小腿。工头见大水呼啸而来，他和两个打手跳到吊盘上，工头朝上面狂叫："快绞绳子！快绞绳子！"

李裕智巷道的工友——上了吊盘，李裕智和那个被水击的矿工跑到吊盘前时，吊盘正在升起，大水已经没到了腰部。李裕智奋力把这个工友推上吊盘，大水就到了李裕智胸口。李裕智双手抓住吊盘一角，吊盘一下子倾斜了，工头大叫："快放手！你快放手！"

工头挥鞭抽打李裕智的头，被李裕智推上吊盘的工友一把夺过鞭子，其他的工友七手八脚地把李裕智拉了上来。

吊盘上的人一起朝上喊："快绞绳子！快绞啊！"

吊盘终于升到地面，再看矿井，大水翻卷着浪花，除了水声，井下什么也听不见了。

李裕智巷道无人伤亡，可是，其他巷道的七八十名矿工却被水吞噬了，连尸首都无法打捞。

这件事很快在石拐煤矿中传开，老矿工和高矮胖瘦瘸等人个个义愤填膺，李裕智、王瑞符因势利导，各煤窑纷纷成立工会，一千多名矿工宣布罢工。

矿工聚集在石拐煤矿同业会房前——

"惩办黑心工头！"

"抚恤死亡矿工家属！"

"减少劳动时间！"

"增加矿工工资！"

口号声直上九霄，响彻天宇。

第五章

巴振中去世前，妻子云娘有了身孕。巴锦秀的父亲巴文峰和母亲荣氏担心云娘和她肚子里的孩子被传染，便让家人赶上骡子车送云娘回娘家躲避，哪知路上遭遇土匪，云娘下落不明。

石拐煤矿同业会的头头打发人请矿工代表商谈复工条件。李裕智、王瑞符和老矿工等人被矿工选为代表，同业会想花钱收买他们，遭到李裕智、王瑞符的断然拒绝。

同业会想拖下去，把矿工拖得筋疲力尽，失去斗志，可是，在李裕智和王瑞符的领导下，矿工的激情日益高涨，毫不妥协。

罢工进行到第七天，李裕智、王瑞符向同业会发出最后通牒，限中午十二点之前答复，如果不答复，一切后果全部由同业会及矿主负责。

同业会怕出大乱子，只得接受李裕智、王瑞符和老矿工提出的条件，石拐煤矿工人罢工取得了胜利。

天高云淡，阳光明媚，"国民党乌兰察布盟特别区党部"的木牌在包头召大门口闪闪发光。几只喜鹊一会儿飞到树上，一会儿落到地下，不时发出欢快的鸣叫。

李裕智走向东跨院，他推开宿舍的门，见被褥叠得整整齐齐，上面盖着一块白布单，白布单上绣着鸳鸯戏水。柜子、箱子、桌子一尘不染，地上干干净净，还隐隐地有股肥皂的清香。

李裕智以为自己走错了，他里外屋又看了看，没错，就是巴振华给自己的那两间房子，难道我在石拐这段时间又搬进别人了？

李裕智正在疑惑之际，"啪"，背后被人击了一掌，他回头一看，见是巴锦秀。今天的巴锦秀戴着蒙古族少女的头饰，额穗齐眉，鬓边和脑后梳着十几条又细又长的辫子，上身穿宝蓝色蒙古袍，下身着一条红绸裤，脚上是一双黑色蒙古靴。两只大眼睛正忽闪忽闪地看着李裕智。

李裕智惊道："小妹！你吓我一跳。"

巴锦秀笑道："大哥，看我这身打扮漂亮不？"

李裕智点点头："嗯，漂亮。"

巴锦秀双颊泛红，语调轻柔："大哥要是觉得漂亮，小妹天天穿给你……"

巴锦秀话外有音，李裕智未动声色，他岔过话题："这屋有别人住了？"

巴锦秀摇了摇头："没有啊，这是我哥给你的房子，怎么可能让别人来住？"

李裕智一指炕上的被褥："那这是……"

巴锦秀嗔道："是小妹给大哥收拾的。你走以后，我看乱七八糟的，就帮你收拾了一下。大哥，看，那对鸳鸯戏水，我绣的，怎么样？"

李裕智觉得巴锦秀反常，他应付道："挺好的……你哥振华好吧？刘兆高他们在忙什么？"

巴锦秀嘴一噘："他们好不好与我何干！"

李裕智赔笑："小妹，怎么了？"

巴锦秀扭过身去："大哥把我的话当成了耳旁风，还跟我装糊涂。"

李裕智道："没有啊，我没跟你装糊涂啊！"

巴锦秀转过身来质问："你领导石拐煤矿工人罢工为什么不告诉我？"

李裕智讪笑道："你说的是这件事啊，本来我是想告诉你的，可当时走不开，真的走不开。"

巴锦秀白了李裕智一眼："那你怎么表示？"

李裕智愣了一下："表示？噢，噢，大哥请你吃饭。"

巴锦秀"扑哧"笑了："这还差不多。"

李裕智和巴锦秀两人来到复成元巷的复成元饭庄。饭庄之内人声鼎沸，很是嘈杂，两个人找了个较为安静的地方坐了下来。几盅酒下肚，巴锦秀望着李裕智，关切地说："人都说白胖白胖，你白了，却瘦了，一定是下井了吧？"

李裕智一边吃菜一边说："什么事也逃不过小妹的眼睛。"

巴锦秀给李裕智倒上酒："说说吧，罢工情况怎么样？"

李裕智把以往的经过一一告诉巴锦秀，当说到井下透水时，巴锦秀一把抓住李裕智的手："这太危险了！"

李裕智慢慢地把手抽出来："大哥这不是好好的吗？"

巴锦秀一副生气的样子："好什么好？不好！你这种人必须得有人管着。"

李裕智道："我当然有人管着，我的吃住不都是你哥巴振华管着吗……"

巴锦秀脸沉了一下，又咬了咬嘴唇："我是说，大哥得娶一房媳妇，要媳妇管着你，不能让你随便乱跑。"

李裕智哈哈大笑："你还要给大哥娶媳妇？大哥早就成家了，你的小侄儿都四岁了，你的小侄女也两岁了。"

"啊？"巴锦秀既吃惊，又失望。

石拐煤矿工人罢工得到了李大钊的高度赞扬。当时的中国刚刚摆脱皇权专制，无数仁人志士都在寻找富民强国的道路。在共产国际的指导下，在中国共产党的支持下，一个新的政党——内蒙古人民革命党于1925年10月在张家口成立。蒙古族革命者和有识之士会聚一堂，他们立足内蒙古，放眼全中国，把拯救国家、振兴民族作为大会的中心议题。在分析研究内蒙古政治、经济、民族关系和民主革命等诸多重大问题的基础上，制定了党纲党章，选举产生了14名中央执行委员和7名候补执行委员。白云梯任委员长，伊克昭盟"独贵龙"运动领袖旺丹尼玛、锡尼喇嘛等人当选执行委员。北京蒙藏学校的一批优秀分子崭露头角，中共党员李裕智、吉雅泰当选候补执行委员；中共党员乌兰夫、多松年、佛鼎、王瑞符等人参加了大会。李大钊以特约代表的身份出席，他当时的职务是国民党北京政治委员会负责人兼中共北方区委领导人。李大钊提出：内蒙古人民革命党应该参照黄埔军校创立内蒙古军官学校，建立一支内蒙古的革命武装。

同年冬，李裕智再赴张家口，参加了由李大钊主持的内蒙古农工兵同盟大会，李裕智当选为中央执行委员。

包头工商业迅速发展，城内人口增加至 5 万余人。1926 年 1 月，包头设县，萨拉齐、五原、固阳、东胜四县各划出一部分隶属包头县。当时绥远为特别行政区，尚未建省。蒙汉分治政策仍然延续，城内的蒙古族事务还是由土默特旗管理，汉人及其他民族事务归属包头县。

原来的包头镇商会也相应地改为包头县商会。包头镇商会以前叫包镇公行。随着包头商业的飞速发展，1915 年（民国 4 年），包头镇商会细化为"九行"和"十六社"。九行有：皮毛行、杂货行、粮油行、钱行、当行、六陈行、牲畜行、蒙古行、货店行。十六社是：成衣社、威镇社、集义社、义合社、鲁班社、义仙社、合义社、清水社、仙翁社、金炉社、毡毯社、绘仙社、仙翁合义社、得胜社、净发社、恒山社。包头的商业更加繁荣。

包头县公署成立，县商会在财神庙前的戏台演出二人台，以示庆祝。李裕智作为国民党要员，被请到前排就座。

李裕智心里想着创建军校的事，盼着庆祝活动早点结束，因此，心不在焉。李裕智一回头，一张脸映入眼帘，此人皮肤黝黑，豹头虎目，神情剽悍。李裕智暗道，这不是王富贵嘛！

王富贵也认出了李裕智，两个人对视有两三秒，王富贵站起身走了。

王富贵为求升官发财，割肉上供，一方面说明他为达目的不择手段，另一方面说明他是个铮铮硬汉；王富贵偷结义兄弟冯来福的老婆，这说明他人品有问题；当冯来福暴打他时，他一手不还，甚至等死，这又说明此人心存正义。如此看来，王富贵是一个矛盾的人，一个复杂的人，一个集丑恶与良知于一身的人。现在要创立军校、建立军队，如果能将王富贵拉过来，加以锻造，那对革命将是有益的。

李裕智起身跟了过去。拐了个弯，王富贵进了一个胡同。李裕智刚要追，巴锦秀穿着一身新衣站在面前："大哥，你看，我刚买的衣服，怎么样？"

李裕智随口道："好看。"说着，就要往胡同里走。

巴锦秀拉住李裕智："大哥，我还给你买了一支自来水钢笔呢，国外进口的，你看。"

当时的文化人大都使用毛笔，钢笔是很罕见的。李裕智接过钢笔，拧开笔帽，在手心上划拉两下，他点点头："不错……"

李裕智跑进胡同，王富贵已经不见了。

巴锦秀追了上来："大哥，我还没说完，你怎么跑了？"

李裕智有点着急："你还有什么事？"

巴锦秀又从怀中拿出一封电报："大哥，这是王瑞符让我给你的。"

李裕智接过电报，原来是一个会议通知，中共北方局通知李裕智参加中国国民党第二次全国代表大会。李裕智的心一阵狂跳。

国民党二大在广州召开，与会人数 258 名，其中有一部分既是共产党也是国民党，李裕智就是其中之一。大会决定继续执行孙中山联俄、容共、扶助农工三大政策。大会选举产生 36 名中央执行委员和 24 名候补执行委员。在中央执行委员和候补执行委员中，各有共产党员 7 名，他们中有李大钊、林伯渠、吴玉章、恽代英和毛泽东、董必武、邓颖超等。国共两党如兄弟一般紧密地团结在一起。

国民党中央对李裕智的工作给予了充分肯定，同意为其创办内蒙古军官学校、组建军队提供资金支持，李裕智高兴得几夜没睡好。

回到包头，李裕智洗了个澡，他把脱下来的脏衣服往盆里一扔，往外就走。刚出包头召大门，迎面遇上了巴振华。

巴振华问："若愚，你刚回来就要出去？"

李裕智很是兴奋："振华，告诉你一个大好消息。"

李裕智把国民党全国第二次代表大会的情况简单地说给巴振华，巴振华也很激动："若愚就要大展宏图啦，可喜可贺！可喜可贺！"

李裕智一脸喜色："这都得益于你的帮助，没有你，我就没处落脚，说不定，我现在还流落街头呢！"

两个人客气一番，李裕智就走了。

明德照相馆四合院的正房是个大筒子屋，火炉里的火熊熊燃着，虽然是严冬，却温暖如春。王瑞符、刘兆高等二十多人把李裕智围在中间，当李裕智说到广州方面出资支持他们创立军校、建立军队时，全场沸腾了。

"噔噔噔"，一个伙计从前院跑了进来，他对刘兆高说："经理，前厅来了两个人，他们说是哥老会的，请你过去给他们的大龙头照相。"

哥老会的首领叫大龙头。

刘兆高正入神地听李裕智说话，他有点不耐烦："你不会说我不在吗？"

伙计道："我说了，可他们不走。"

李裕智暗想，哥老会是包头一带最大的帮会组织，要建立军队没有人不行，如果趁机与哥老会的大龙头接触，把哥老会拉到军队中来，那可是一支重要力量。

李裕智说出了自己的想法，刘兆高为之一振："好，我现在就去。"

散会后，李裕智想回来洗衣服，一进包头召东跨院，见巴锦秀正在往外晾衣服，衣服上还冒着热气。李裕智一看，都是自己换下的衣服。

这些衣服既有外衣，也有内衣，巴锦秀虽然是自己的义妹，可毕竟是未婚少女。李裕智很不好意思，他忙上前："小妹，我来，我来……"

巴锦秀会心地一笑："已经完了。"

两个人进了屋，李裕智嗫嚅道："你怎么……你怎么来了？"

巴锦秀一边擦手，一边反问："我怎么就不能来？"

巴锦秀的目光火辣辣的，李裕智不敢正视："这衣服……你，你以后就别洗了，我能洗……"

巴锦秀道："大哥，洗衣服本来就是女人的活，以后你的衣服我包了。"

李裕智脸颊发烧，一时找不到合适的话，说轻了，巴锦秀肯定不当回事；说重了，又怕伤了巴锦秀的心。李裕智灵机一动，便道："啊，过两天，我们家你大嫂从老家过来，有她给我洗就行了。"

巴锦秀脸上的笑容瞬间消失。

李裕智、王瑞符、刘兆高不但在街上张贴招兵告示，还把招兵告示贴到了石拐煤矿。李裕智、王瑞符在石拐煤矿有着广泛的群众基础，矿工踊跃报名。

因为照相，刘兆高与哥老会大龙头刘长富熟悉起来，然而，当刘兆高向刘长富提出招兵时，刘长富淡淡地说了一句："以后再说吧。"

刘长富不为所动，李裕智一时也没了主意，怎么才能说服刘长富呢？

李裕智正在沉思之际，巴锦秀开口道："大哥，你真想把哥老会拉进来？"

李裕智点点头："如果有他们参与，我们的队伍就会迅速壮大。"

巴锦秀眼睛忽闪两下："大哥，我带你去找一个人，只要他出面，哥老会没有摆不平的事。"

"谁？"李裕智问。

巴锦秀神秘地说："去了你就知道了。"

巴锦秀和李裕智来到城外的一个小村子，因为村子不大，村中仅有的一座四合院很是显眼。

巴锦秀上前敲门，院子里的人一见巴锦秀，马上把她和李裕智请到上房。

上房总共五间，中间开门，两个人进了西屋。西屋北侧是炕，炕的西侧连着一面火墙，火墙旁是六个红漆大柜，这六个大柜一直排到西墙。西墙正中悬挂一幅关羽画像。关羽一手持刀，一手捋着胡子。关羽画像下有张长方形的供桌，供桌上摆着糕点水果和香炉，香炉里燃着三炷香，香炉前的青砖地上有三个棉垫。

炕上放着一张八仙桌，八仙桌边坐着一个人。此人比李裕智大个两三岁，头上挽着发髻，颔下留着短髯，有点像个道士。

巴锦秀来到这个人面前躬身抱拳："九妹拜见三哥。"

这个人侧过身来："啊，九妹呀，来，上炕暖和暖和。"

"三哥，不冷。"巴锦秀向李裕智介绍，"大哥，这是小妹的结义三哥，包头哥老会的三堂主。"

李裕智一怔，他听说哥老会有位三堂主，名叫苏连鹏。几年前，哥老会内讧，苏连鹏舍身救过大龙头刘长富。

李裕智躬身施礼："久仰三堂主的威名，李若愚拜过三堂主。"

巴锦秀又向苏连鹏介绍李裕智，苏连鹏对李裕智也有耳闻，他令下人："切两碗手扒肉，整几个菜，我和李先生、九妹喝点。"

李裕智、巴锦秀脱鞋上炕，三个人边吃、边喝、边聊。苏连鹏很爽快，当即答应劝说刘长富。

离开了苏连鹏家，李裕智不解，巴锦秀一个小姑娘，怎么跟哥老会的三堂主苏连鹏也拜了把子？

巴锦秀长叹一声："这都是因为我的大姐吉云娘……"

土默特蒙古人把嫂子叫姐吉。

巴锦秀原本有两个哥哥，大哥巴振中，二哥巴振华。三年前，包头发生了一场大瘟疫，巴振中身染瘟疫，尽管多方求治，但仍没有挽回生命。

巴振中去世前，妻子云娘有了身孕。巴锦秀的父亲巴文峰和母亲荣氏担心云娘和她肚子里的孩子被传染，便让家人赶上骡子车送云娘回娘家躲避，哪知路上遭遇土匪，云娘下落不明。为此巴文峰和荣氏夫人痛心不已，不久，老夫妻俩也染上了瘟疫，巴文峰撒手人寰，荣氏夫人奄奄一息。当时，巴振华还在北京蒙藏学校上学。

临终前，荣氏夫人向妯娌郝香香嘱托三件事：一是家中的不幸不要告诉巴振华，让巴振华好好读书，将来报效国家；二是把女儿巴锦秀托付给郝香香，请她照顾巴锦秀；三是打听云娘的下落，找回巴振中的骨血。

巴锦秀没有姐姐，她把大姐吉云娘当成了亲姐姐；云娘没有妹妹，她把巴锦秀当成了亲妹妹。因此，姑嫂之间相处特别好。得知云娘遭此横祸，巴锦秀哭了三天。

巴锦秀从小就天不怕、地不怕，听说哥老会势力很大，巴锦秀就想借助哥老会势力寻找大姐吉云娘。可是，巴锦秀几次求见大龙头刘长富，刘长富听说她是个小姑娘，连面也不见。

一天，关帝庙前围着很多人，巴锦秀挤进人群，见是三堂主苏连鹏在招收弟子。巴锦秀喜从天降，她来到三堂主苏连鹏面前"扑通"跪倒："我也要加入哥老会！"

第六章

屋里很静，静得只能听见两个人的咀嚼声。巴锦秀猛地把酒壶抄了起来，她嘴对着嘴，"咕嘟咕嘟"一通牛饮。

苏连鹏见跑来一个身着蒙古袍的小姑娘，小姑娘很是讨人喜欢，苏连鹏问巴锦秀为什么要加入哥老会。

巴锦秀道："我姐吉被忽拉盖劫走了，我要加入哥老会，请哥老会帮我找回姐吉。"

忽拉盖是蒙古语，土匪的意思。

苏连鹏询问巴锦秀是谁家的孩子？家中发生了什么事？巴锦秀说出了自己的身世，以及哥哥和父母相继去世、嫂子遭遇土匪的经过。苏连鹏摇头叹息，包头城里城外，谁不知道巴家？巴家忠厚继世，包容传家，辈辈礼佛，代代行善，包头的汉人哪个不是承租巴氏家族的土地才有了安身立命之本。现在巴家遭此不幸，这真是屋漏偏逢连夜雨，船迟又遇打头风。苏连鹏当即答应收下巴锦秀，帮助她寻找姐吉云娘。

苏连鹏让巴锦秀跪在关羽画像前，苏连鹏站在一旁，他对巴锦秀说："跟我念——日出东方一点红，"

巴锦秀声音响亮："日出东方一点红，"两人便一句接一句地念了起来：

"莲花摆在路当中,"

"莲花摆在路当中,"

"义兄采花别处采,"

"义兄采花别处采,"

"此花只是洪家生。"

"此花只是洪家生。"

哥老会出自洪门,洪门也叫洪帮。洪门的宗旨是反清复明。关于洪门起源的版本有很多,主要有两种:一种是,洪门即为汉门,也就是汉家,因为满人入主中原,汉家丧失了中原的土地,即"汉"字丢掉了中间的"中"和"土"遂成了"洪"字;另一种说法是因为明太祖朱元璋的年号是洪武,取其"洪武"之"洪"字。

洪门势力相当大,海外也设有分支,1925年10月10日,海外最大的华侨社团组织洪门致公堂转型为中国致公党,当时大名鼎鼎的陈炯明系该党首任总理。

苏连鹏带巴锦秀念的是哥老会接收女门徒的四句诗,诗中告诫哥老会门徒,不得打本门女弟子主意。

巴锦秀随苏连鹏念完,苏连鹏把巴锦秀搀了起来:"从现在起,你就是哥老会的人了。"

巴锦秀刚站起来,却又跪下了,巴锦秀说:"我听说加入哥老会还要拜把子,我还没跟你拜把子呢!"

巴锦秀留了个心眼,如果自己和三堂主苏连鹏结义,苏连鹏一定会对寻找大姐吉云娘的事更尽心。

巴锦秀并不知道,只要加入哥老会,都要拜把子。今天入会者包括巴锦秀在内共八人,苏连鹏把另外七个人都叫过来,九个人跪在关羽像前,苏连鹏高声道:"大家随我念——人王腰际两堆沙,"

巴锦秀和其他七个人同时道:"人王腰际两堆沙,"

"东门墙上草生花,"

"东门墙上草生花,"

"丝线穿针十一口,"

"丝线穿针十一口，"

"美酒羔羊是我家。"

"美酒羔羊是我家。"

这四句诗每句暗含一个字，合起来是"金蘭結義"，简体字是"金兰结义"。

九个人之中巴锦秀最小，苏连鹏等人都叫她九妹。苏连鹏虽然是老大，但人们还是叫他"三哥"。

清朝虽然灭亡了，但哥老会并没有解散。苏连鹏家是哥老会的据点之一，巴锦秀经常出入苏家。苏连鹏有一身好功夫，闲暇时间，他教巴锦秀练拳踢腿，骑马打枪，但是，巴锦秀嫂子云娘却一直没有消息。

因为巴锦秀的引见，苏连鹏带李裕智拜会了包头哥老会大龙头刘长富，刘长富见李裕智年轻有为，又与广州和北京方面都有联系，不禁对他刮目相看。

有了哥老会和石拐矿工做班底，李裕智很快组建了内蒙古人民革命军，拉起了两千多人的队伍，内蒙古人民革命党中央委员会委员长白云梯对李裕智赞不绝口。考虑到李裕智还年轻，经共产国际批准，内蒙古人民革命军由旺丹尼玛任总指挥，李裕智任副总指挥兼第一路军司令。

旺丹尼玛喇嘛出身，原是一座寺院的活佛，1902 年，清朝大面积放垦草原，蒙古族百姓生活受到严重威胁。旺丹尼玛顺应民意，发动了"独贵龙"运动，建立一支武装。这支武装多次击退清廷的护垦队和王公卫队，在内蒙古西部影响很大。然而，这支队伍人数较少，装备落后。清朝灭亡之后，1913 年，旺丹尼玛被宁夏总兵马福祥诱捕，押至北京软禁，经李大钊等人疏通，旺丹尼玛方才出狱。相对李裕智，旺丹尼玛年龄较大，威信较高。

1926 年的中国形势十分复杂，段祺瑞、冯玉祥、张作霖三人联手把持北京国民政府，但那年头谁手中有兵谁就是老大。段祺瑞虽为国家元首、中华民国临时执政，但手中却没有兵，因此，北京国民政府的大权操控在冯玉祥和张作霖两个人手中。就实力来说，冯玉祥不及张作霖，可冯玉祥废了贿选总统曹锟，把末代皇帝溥仪驱逐出紫禁城。这两件事使冯玉祥名声大振，全国反响热烈。然而，张作霖哪肯屈居冯玉祥之下？两个人明争暗斗，矛盾不断深化，两军由小摩擦演变成大冲突，原来由冯玉祥控制的张家口遭到了张作霖奉军威胁，内蒙古人民革命党总部迁到包头。

内蒙古人民革命军成立不久，内蒙古人民革命军军官学校也办了起来，校长由王瑞符担任。王瑞符采用短训轮训方式培养了几批骨干，这些骨干回到部队，使革命军的素质大大提高。

军队初创，人员复杂，粮饷不足，武器落后，营房、训练场不足，工作千头万绪，李裕智常常深夜才回到包头召。军官学校的骨干充实进来后，这些人为李裕智分担了不少工作，李裕智的压力减轻了许多。今天天刚黑，李裕智就回到了包头召。

包头召门前"国民党乌兰察布盟特别区党部"的木牌依稀可见。看到这块木牌，一种自豪感油然而生。李裕智在门前伫立片刻，然后，穿过包头召大门，来到东跨院。

李裕智的屋里亮着灯，窗户开着，一股手扒肉的香味从屋中飘出。

李裕智走进屋，见一桌丰盛的酒菜摆在炕桌上，但屋里空空，并不见人。李裕智左右顾盼，忽听背后传来"咯咯咯"的笑声。

巴锦秀眼睛忽闪两下，她打了个手势："欢迎品尝。"

李裕智回避巴锦秀的目光："好，我品尝品尝。"

两个人上炕，几盅酒下肚，巴锦秀含情脉脉地望着李裕智："大哥，你可瘦多了，以后我就留在你身边照顾你吧？"

李裕智听出了巴锦秀的弦外之音，他也不抬头："不用，过几天你姐吉就来了，她会照顾我的。"

巴锦秀无语，两个人都沉默了。李裕智吃得很香，巴锦秀却味同嚼蜡。

屋里很静，静得只能听见两个人的咀嚼声。巴锦秀猛地把酒壶抄了起来，她嘴对着嘴，"咕嘟咕嘟"一通牛饮。

巴锦秀喝完，把酒壶往桌子上一蹾，她起身下地，扔了一句："这饭吃得这么不舒服。"说着，穿上鞋往外就走。刚一开门，"咣"，与一个人撞了个满怀。

巴锦秀一巴掌扇了过去，骂道："你眼睛长到屁股上了？"

对方反应还挺快，一低头，巴锦秀的手打空了。

"秀儿姐，是我，我是小林子！"

小林子也是蒙古族，他出生不久，草原大规模放垦，蒙古百姓的户口地被征，家中贫困。十五岁时，小林子就到土默特旗的地方武装"老一团"当了兵。小林子人机灵，腿脚勤快，"老一团"的官兵都挺喜欢他。李裕智建立中共包头工委，小林子经常来包头召。在李裕智的介绍下，小林子加入了中国共产党，经常为李裕智传递情报。

巴锦秀余怒未消："你吃饱撑的，黑灯瞎火来干什么？"

小林子不高兴了："哎哎哎，秀儿姐，我一进屋，你就给我一大耳刮子，现在又骂我吃饱撑的，我还饿着肚子呢，怎么就吃饱撑的了？你能来，我为什么不能来？再说了，男女有别，还授受不亲呢！"

巴锦秀被小林子抢白得无言以对，脸一下子红到了脖子根。巴锦秀反驳也不是，不反驳也不是，正在尴尬之际，李裕智道："小林子，你不是没吃饭嘛，来来来，这还有酒……"李裕智拿起酒壶摇了摇，酒壶已经空了，他忙改口，"这有肉，手扒肉。"

李裕智下地给小林子拿过一双筷子，一个碗。

巴锦秀强装笑脸："小林子，秀儿姐心气不顺，你等一会儿，秀儿姐给你打酒去。"

小林子嘴里塞了块手扒肉，呜噜呜噜地说："这还差不多……"

巴锦秀走了，小林子放下筷子，脸色严峻："若愚同志，出大事了！"

李裕智一皱眉："出什么事了？"

小林子从怀里取出一个蜡丸递了过去，李裕智把蜡丸掰开，里面有一张两指宽的纸条，上面密密麻麻地写满了字，大致内容是说，冯玉祥的国民军在南口与张作霖的奉军激战，国民军眼看就要顶不住了。纸条上强调，张作霖痛恨苏联，痛恨共产国际，请李裕智做好必要准备。落款是李大钊。

李裕智大惊，李大钊既是中共领导人，也是国民党中央执行委员会委员，李大钊亲自给自己写信，可想而知，问题是何等严重！

张作霖与冯玉祥的全面冲突是因郭松龄而起。

冯玉祥的实力不及张作霖,因此,冯玉祥竭力寻求外援。1925年9月,斯大林给冯玉祥的国民军拨付价值720万卢布的军火,包括20架飞机和数以百计的大炮,此外,还答应再给冯玉祥2000万卢布外汇。有了苏联的支持,冯玉祥就想从内部瓦解张作霖,于是,他盯上了郭松龄。

郭松龄是张作霖军中最具指挥才能的将领。郭松龄早年加入同盟会,对孙中山的三民主义十分崇拜,曾追随孙中山参加过护法运动,孙中山对他也很赏识。郭松龄虽为张作霖的高级将领,可他瞧不起土匪出身的张作霖,与冯玉祥明来暗往。

1925年11月22日,在冯玉祥的支持下,郭松龄把7万奉军改为东北国民军,挥师杀向张作霖。郭松龄很快就打到了奉系军阀的老巢沈阳城,张作霖无奈之下借用日本军队,战局逆转,郭松龄战败被杀,张作霖大伤元气。此消彼长,冯玉祥的实力超过了张作霖。

张作霖恨死了冯玉祥,他联络吴佩孚、张宗昌、阎锡山等军阀共同进攻冯玉祥,冯玉祥四面受敌,连连失利。1926年1月,冯玉祥通电下野,奔赴苏联。

此时的北京仍由冯玉祥的国民军控制,偏偏这个时候出事了。1926年3月12日,日本军舰在大沽口与冯玉祥的国民军发生摩擦,日舰损失很大。日本联合英、美、法、意、荷、比、西七国,援引《辛丑条约》"海口不得设防"条款,向北京中华民国政府外务部提出44小时限期答复的"最后通牒"。外务部的回复是:日军的要求"超越《辛丑条约》之范围……不能认为适当"。

国民党中央执行委员会委员徐谦和中共北方区委领导人李大钊认为北京政府话太软,应对日本帝国主义予以坚决回击。于是,徐谦和李大钊组织北京各校学生和群众团体到天安门前游行,给政府施加压力。3月17日,游行队伍冲击国务院,守门的卫兵还算克制,双方相持,没有发生冲突。3月18日,国共两党等团体组织80多所学校5000多人二次冲击国务院,要求段祺瑞和国务总理贾德耀出来对话。

当时段祺瑞不在现场,国民政府卫队长是冯玉祥的心腹,这位心腹下令开枪，致使 47 人死亡，200 多人受伤。死者之中有北京女子师范大学学生刘和珍，李大钊也受了伤。鲁迅称这一天为"民国以来最黑暗的一天"，并写下了我们耳熟能详的《纪念刘和珍君》。这就是"三一八惨案"。

北京中华民国政府下令通缉徐谦、李大钊、鲁迅等人。徐谦、李大钊进入苏联使馆躲避，国共两党领导机关也都迁到苏联使馆。段祺瑞下令抚恤死者，医治伤者。京师地方检察厅对惨案进行调查取证，结论是："此次集会请愿宗旨尚属正当，又无不正侵害之行为，而卫队官兵遽行枪毙死伤多人，实有触犯刑律第 311 条之重大嫌疑。"

在冯玉祥内外交困之际，奉军派人潜入北京城与段祺瑞密谈。1926 年4 月 9 日，国民军以段祺瑞暗通奉系为由包围了国务院，段祺瑞逃入东交民巷法国使馆，段祺瑞政府倒台。

张作霖不但要置冯玉祥于死地，他还组成了"讨赤联军"，对国共两党下手。此时的"赤"是指苏联支持下的国共两党。后来，国共两党反目，国民党当权者放弃"联俄"政策，"赤"专指共产党。

"讨赤联军"于 4 月 17 日占领北京。冯玉祥的国民军节节败退，而此时冯玉祥仍在苏联未归。

小林子又说："奉军进入北京后，国共两党的一批优秀党员惨遭杀害。如今奉军剑指归绥，一旦归绥失守，包头难保。若愚同志，赶快拿个主意吧！"

归绥是归化和绥远的合称，即今天的呼和浩特。民国初年，北洋政府将归化和绥远两城合并设归绥县，作为绥远特别行政区军政长官的驻地。

李裕智想，内蒙古人民革命军虽然是自己创立的，但自己只是内蒙古人民革命党中央的候补执行委员，这种关乎革命党命运的大事，必须经中央讨论才能决定下一步方向。

李裕智道："小林子，你今天晚上就住在我这儿，明天一早，我们一起去见白云梯委员长。"

两个人正说着，外面传来巴锦秀的呵斥声："进去！进去！"

门开了，巴锦秀押进一个年轻人，她一脸怒气。

李裕智不解："小妹，怎么了？"

巴锦秀一指那个年轻人："你问他！"

李裕智下了炕，还没到年轻人身边，就闻到了一股浓烈的酒气。李裕智借灯光一看，见此人鼻青脸肿，嘴角流血，但扬着脖，七个不服，八个不愤，一百二十个不含糊。

李裕智一愣，不禁道："暴子清？"

暴子清醉眼蒙眬，他手指巴锦秀，舌头好像短了半截："我是白委员长的警卫连长，你敢打我，我明天就带人把你家平了！"

巴锦秀大怒道："大哥，你都听见了吧，这就是你们的内蒙古人民革命党、内蒙古人民革命军？"

有句话叫"打狗看主人"，暴子清毕竟是白云梯的警卫连长，李裕智虽然很生气，但还是想把暴子清交给白云梯处理，李裕智一拉暴子清的袖子："我送你回党部。"

暴子清还挺倔："我不回去，我看看在这包头城谁能把我怎么样？"

李裕智对小林子道："小林子，我们一起送暴子清回党部。"

李裕智和小林子分别架起暴子清的一条胳膊，可是，暴子清连踢带打，就是不走。李裕智和小林子把暴子清拖到包头召大殿前，暴子清一屁股坐在地上："我不走，我就是不走！"

李裕智的火压不住了，厉声道："暴子清，我是革命军的副总指挥，我现在命令你，马上离开！"

李裕智不但没有镇住暴子清，相反，暴子清却蹦了起来："李裕智，你在我面前摆什么副总指挥的臭架子？老子侍候的是白委员长，不是你。老子一句话，白委员长就能要你的命！"

李裕智火撞顶梁门，见大殿前有个大水缸，他一手揪住暴子清的衣领，一手抓住他的腰带，两膀一使劲，把暴子清举了起来，"咕咚"，大头朝下把暴子清扔进水缸。

第七章

一个女孩，整天不着家，东跑西颠，不是跟这个结义，就是跟那个拜把子，以前说是找云娘，可好几年过去了，云娘的影子也没寻到。现在每天跟李若愚在一起，人家李若愚是有妻室的人，这清不清、浑不浑的，算怎么回事？

包头召小学课间休息，男同学打篮球，女同学跳绳。

"当当当"，上课钟声响了，男女同学走向教室。教室的门上有块匾，上面刻着四个大字"百舟风励"。

教室里，校长巴振华面对黑板，用粉笔写下几个字——

军阀　帝国主义　政府

学生坐好了，巴振华转过身，学生起立，同声道："老师好！"

巴振华道："同学们好！请坐。"

学生坐下，巴振华脸色凝重："今天，我们讲一下'军阀'、'帝国主义'和'政府'这几个词。首先，我们讲军阀。军阀是指以武力为后盾，拥兵自重，占有国家土地、国家资源，以扩充地盘为目的，称霸一方，甚至控制国家政权的军事团体。民国以来，国家这么乱，就是因为各地军阀存在，他们相互争夺地盘，连年争战，致使百姓民不聊生。同学们说，军阀好不好？"

同学们异口同声："不好！"

巴振华问："那我们应不应该打倒他们？"

同学们道："应该！"

巴振华道："同学们说得很好，国家要富强，就必须打倒军阀。那么，什么是帝国主义呢？帝国主义是通过经济、文化或军事手段，掠夺他国领土和资源，凌驾于他国之上，奴役他国百姓。比如，当年的八国联军，他们侵略中国，与中国签订了不平等条约，给中国带来了沉重灾难。对于帝国主义，我们是反对呢，还是支持呢？"

同学们高呼："反对！反对！"

巴振华又问："对于以前的不平等条约，我们是应该废除呢，还是保留呢？"

同学们十分激动："废除！废除！坚决废除！"

巴振华因势利导："同学们说得非常好，我们一定要反对帝国主义，废除他们强加在我们头上的不平等条约，争取中华民族的独立和自由。"巴振华转向黑板，"下面，我们再讲讲政府。以前的政府就是朝廷，老师想问问同学们，当年的朝廷是不是保护老百姓的？"

同学们的声音低了下来，有人说"是"，有人说"不是"。巴振华道："老师明确告诉大家，任何一个朝廷都说自己是保护老百姓的，可他们的本质都是维护皇权、保护皇权的，保护老百姓只是他们的幌子，是他们蒙蔽老百姓的华丽外衣。朝廷从来都是以皇帝的利益为根本，即使皇帝错了，也绝不允许老百姓提出反对意见。皇权至高无上，皇帝让你三更死，谁也难活到五更。那么，政府是保护谁的呢？"

同学们无人应答。

巴振华手指黑板："政府应该是保护老百姓的，但是，现在的政府是军阀政府，他们只顾自己争夺地盘，不管百姓死活……"

巴振华发觉课堂的气氛不像刚才那么热烈了，几个学生向门外张望，巴振华顺着同学们的目光一看，见四婶郝香香站在外面。

巴振华走出教室，他问郝香香："四婶，有事吗？"

郝香香面带笑容："振华，我和你大爷爷托人给秀儿提了一门亲事，你一会儿回趟家，也帮你妹妹秀儿相看相看。"

巴振华有些意外："秀儿知道吗？"

郝香香道："她不知道，她不在家，不过，我叫人找她去了。"

巴振华点点头："行，四婶，我一会儿就回去。"

郝香香由教室往南走，包头召小学的南侧是蒙民生计会。

蒙民生计会简称生计会，是维护蒙古族百姓权益的半官方组织。清末民初两次大规模放垦草原，以放牧为生的蒙古民众土地所剩无几，日子日益艰难。1923年京绥铁路修到包头，火车站建在南城外二里半的一片盐碱地上，这片本无人问津的荒地价值飙升，蒙汉百姓视之如肥肉，都来争夺。蒙民与蒙民之间，汉民与汉民之间，蒙民与汉民之间不时发生冲突。土默特旗公署派人前来调解，纠纷很快平息了。为了杜绝类似事件发生，由官方提出成立蒙民生计会。自此，蒙民的土地全部由生计会统一出租，生计会从中抽取3％的手续费。生计会既照顾了蒙民的生计，也考虑到了汉民的利益，得到了蒙汉百姓的认可。

蒙民生计会会长叫巴福。巴福兄弟五人，他是长子，他的弟弟依次是巴祯、巴祥、巴喜、巴丰。巴祯、巴祥、巴丰离世后，同辈之中，只剩巴福和巴喜喇嘛兄弟二人。巴喜喇嘛是包头召的当家喇嘛，终日念经礼佛。

巴福的子侄共六人——

巴福有两个儿子：巴文棱，巴文虎。

巴祯有一个儿子：就是巴文栋。

巴祥有三个儿子：巴文峰，巴文嵩，巴文俊。

在巴福子侄六人的排行中，巴文栋老大，巴文棱老二，巴文峰老三，巴文虎老四，巴文嵩老五，巴文俊老六。

虽然清朝灭亡了，但传统的蒙古人仍然"三出一，五出二"当喇嘛，也就是说，家里三个男孩，就得一人出家；有五个男孩，就得两人当喇嘛。巴祥有三个儿子，于是，就把巴文嵩送进了寺院，其他兄弟五人各自成家，老四巴文虎娶妻郝香香。

那时，巴福的后代和巴祥的后代两大家子住在巴家老宅，也就是今天包头市东河区东门大街12号大院。

当时医疗条件差，人的寿命比较短。几年之中，老大巴文栋夫妻、老二巴文棱夫妻因病故去，老五巴文嵩圆寂。不久，老四巴文虎也驾鹤西去。老四巴文虎生前与郝香香生了一个儿子，乳名叫潘月。然而，寒霜单打独根草，小潘月也去世了。

郝香香年轻守寡，但是，她性格坚强，胸怀宽广，富有爱心，她把老大巴文栋和老二巴文棱的四五个孩子收养在身边。1923年夏，包头地区发生了大瘟疫，先是老三巴文峰的长子巴振中染病而亡，接着，巴振中的媳妇云娘遭遇土匪失踪，老三巴文峰和荣氏夫妻相继辞世，巴家连遭不幸。如今，巴福的子侄六人中，除了老六巴文俊和周恩来赴法国留学，其他兄弟五人都不在人世了。

老三巴文峰和妻子荣氏生了巴振中、巴振华和巴锦秀三个孩子，巴振华和巴锦秀从小就喜欢往四婶郝香香的屋里跑，在四婶的房中，他们怎么玩都可以。父母下世后，兄妹俩视四婶郝香香如亲生母亲一般，郝香香也把巴振华和巴锦秀当成自己的孩子。

这段时间外面风言风语，说巴锦秀总是跟李裕智在一起，郝香香和公公巴福商量之后，便托媒婆给巴锦秀找个人家。

媒婆提的小伙子是乌拉特东公旗的王子。包头是绥西重镇，十分繁华，乌拉特东公旗、中公旗、西公旗，以及达拉特旗等地的王府都在包头设有办事处。

乌拉特东公旗王府办事处位于包头召西北的园子巷19号。这片地归巴福所有，几年前租给了乌拉特东公旗。东公旗王子刚满十八岁，不久前，他到包头召蒙民生计会交地租时见到了巴锦秀。巴锦秀对他没有什么印象，王子却跟丢了魂似的，站着想巴锦秀，坐着想巴锦秀；吃饭时想巴锦秀，睡觉时想巴锦秀；穿衣服时想巴锦秀，走路时想巴锦秀……脑子里都是巴锦秀。这次王子征得父母同意，随媒婆一起来巴家提亲。

郝香香给媒婆和王子煮了奶茶，让两个人先坐着，她来到包头召，招呼公公巴福和侄儿巴振华回家。

巴家的老宅是一套大四合院，巴福住在正房，郝香香和她抚养的孩子住西厢房，巴振华小夫妻和妹妹巴锦秀住东厢房。

巴福随儿媳郝香香回到家中，见东公旗王子戴着一副金丝边眼镜，白脸膛，长得有点像教书先生，没有蒙古人的魁梧身材，说话也有些腼腆。

巴福和王子聊了一些家常话，无非是王子的父母可好，家中兄妹几人，牲畜水草如何，等等。

正说着，巴振华回来了，郝香香向媒婆和王子介绍说："这是秀儿的哥哥，刚下课回来。"

民国时的蒙古王子虽有其名，已经没有其实了，远不像清朝时那样高贵。王子和巴振华相互施礼。双方谈了半个多小时，还不见巴锦秀回来。

媒婆低声问巴福："巴老爷，您看王子怎么样？"

巴福点点头："挺不错的。"

媒婆眉开眼笑："那这门亲事就定了吧？"

巴福未置可否："我们一家人先商量商量。"

巴福把郝香香和巴振华叫到另一间屋，三代人都认为王子沉着稳重，文质彬彬，一表人才，与巴锦秀风风火火的性格形成互补。可是，巴锦秀到现在还没回来，巴福有点着急。

巴振华道："大爷爷，四婶，要不我去找找秀儿？"

巴福问："你知道秀儿在哪儿吗？"

巴振华道："革命军准备西迁，部队急需一批军鞋，秀儿可能是帮李若愚采购军鞋去了。"

一听李若愚的名字，巴福有点不快，一个女孩，整天不着家，东跑西颠，不是跟这个结义，就是跟那个拜把子，以前说是找云娘，可好几年过去了，云娘的影子也没寻到。现在每天跟李若愚在一起，人家李若愚是有妻室的人，这清不清、浑不浑的，算怎么回事？

巴福语重心长："振华呀，大爷爷老了，你四婶要照顾那一群孩子，你这个当哥哥的可要好好管管秀儿，不能由着秀儿的性子瞎闹。"

巴振华给巴福装了一袋烟，笑道："大爷爷，若愚的为人我知道，不会有问题的。"

巴福抽了两口烟:"大爷爷知道李若愚正派,可是,人言可畏,总是这样风言风语,时间久了,秀儿怎么嫁人呢?我看,这个王子不错,不行我们就把这门亲事定下来。有了婆家,秀儿的心就会安定下来,我和你四婶也就省心了。"

巴振华没说话,眼睛却看四婶郝香香,郝香香心领神会,她对巴福说:"阿爸,秀儿丫头有思想,有主见,又很新潮,还是让她见见王子吧。"

正说着,门外人影闪动,巴福虽然上了年纪,但耳不聋,眼不花,他高声道:"是不是秀儿回来了?"

话音刚落,巴锦秀走了进来。巴锦秀脸色发黑,眼圈发暗,见大爷爷、四婶和哥哥都盯着自己,她有些不自然:"怎么了?"

郝香香笑道:"秀儿呀,男大当婚,女大当嫁,你已经是大姑娘了。东公旗的王子来提亲,我和你大爷爷还有你哥都看这小伙子不错,你一会儿见见王子,要是没意见,就把这门亲事定下来。"

巴锦秀眼睛忽闪两下,似怒非怒,似喜非喜,没有马上搭腔,巴福、郝香香、巴振华三人不知她在想什么。

巴锦秀嘿嘿一笑:"定亲,好啊,那王子在哪儿,我看看?"

听巴锦秀说这话,巴福、郝香香喜上眉梢,有门儿!

巴福磕了磕烟袋锅里的烟灰,他带着郝香香、巴振华和巴锦秀来到了王子和媒婆那间屋中。

巴锦秀看着王子,王子也在看着她,两个人四目相对,王子的脸红了,他不由自主地低下头。

巴锦秀很放肆地望着王子:"你看我行吗?"

王子抬起头:"行!行!"

媒婆满脸笑容:"好!这可太好了!"

巴锦秀眼睛连着忽闪几下:"我这个人从小任性惯了,你能受得了吗?"

王子小声说:"任性说明有主见,不算短处。"

巴锦秀又道:"我绣花、缝衣、做鞋……各种女工都不会。"

王子搓着两手："下人能做。"

巴锦秀又道："我脾气不好，会和你吵架的。"

王子嗫嚅道："我让着你，架就吵不起来了。"

王子年纪不大，却有蒙古人的包容和大度，巴福、郝香香、巴振华三人心里热乎乎的。

媒婆一拍大腿："这真是天造的一对，地设的一双！"

巴锦秀走到王子面前，王子马上站了起来。巴锦秀上一眼，下一眼，左一眼，右一眼，王子被看得直发毛。

巴锦秀在王子面前踱了两步，冷不丁一拳打在王子胸前，王子"噔噔噔"倒退几步，"扑通"一屁股坐在地上。

"这还没成亲呢，怎么就打起来了？"媒婆急了。

"秀儿，别动手啊！"郝香香愕然道。

"秀儿，你太放肆了！"巴福斥道。

巴振华忙把王子扶了起来："王子，怎么样？伤着没有？"

王子脸色通红，他尴尬地摇了摇头。

巴锦秀冷冷地说："就你这个熊样，我嫁给你，还不得被人欺负死？你先回去练上三年，练好了再来提亲！"

王子推开房门，跌跌撞撞地跑了。

媒婆跟在后面，气哼哼地说："这哪还像个姑娘，简直是母夜叉！你就等着剩在家里吧，一辈子也嫁不出去！"

巴锦秀在屋中哈哈大笑。

狂风怒吼，树叶翻飞，天空中黑云翻滚，往日在包头召上空飞来飞去的喜鹊消失得无影无踪。似乎要下雨，但没有落下一珠雨滴。

包头召大门外，两个警卫员摘下"国民党乌兰察布盟特别区党部"的木牌，李裕智双手抚摸着，久久不肯放开。

巴振华沉重地问："若愚，真的要走吗？"

李裕智眼中含有千般不舍："奉军大举西进，归绥已经落入张作霖之手，包头即将不保……"

巴振华惊道："形势这么严峻？"

李裕智点了点头："不过，冯玉祥将军已经从苏联回来了，内蒙古人民革命军将在五原与冯将军会师。我们和冯将军一起加入广州国民革命军，南北呼应，消灭军阀，统一中国！"

巴振华十分激动："只要国共两党紧密团结在一起，统一中国的日子就不会太远。"

李裕智连声道："谢谢！这两年给你添了不少麻烦，再次感谢！"

巴振华动情地说："那两间房我给你留着，祝你们旗开得胜，马到成功，早日凯旋……"

一旁的巴锦秀推开巴振华："哥，你有没有完？"她又对李裕智说："大哥，我跟你去打军阀！"

李裕智板起脸："小妹，你不是答应大哥了吗？怎么又变卦了？部队中没有女眷，大哥不能破这个例。"李裕智又安慰巴锦秀，"你放心，大哥很快就会回来的。"

巴锦秀沉思片刻："说话算数?"

李裕智笑得很苦："算数……"

巴锦秀伸过手："那拉钩！"

李裕智犹豫一下，还是把小指伸了过去。巴锦秀的小指勾在李裕智的小指上："拉钩上吊，一百年不许变……"

李裕智默默地看着两个人的小指，巴锦秀道："你怎么不说？你也说。"

两个人同声道："拉钩上吊，一百年不许变！"

第八章

　　巴锦秀认为暴子清枪杀李裕智与自己那次打酒有关，如果自己不把暴子清押到李裕智面前，暴子清也不会跟李裕智结仇，暴子清不跟李裕智结仇，或许就不会对李裕智下毒手。巴锦秀猛地坐了起来……

　　1926年7月9日，蒋介石就职广州国民革命军总司令，率十万大军北伐奉系操控的北京中华民国政府。9月初，冯玉祥从苏联回国，收拢所属部队。17日，冯玉祥在五原城内举行万人誓师大会，成立国民联军总司令部，并任联军总司令。会上，冯玉祥将北京中华民国政府的五色旗换为广州中华民国政府的青天白日旗。冯玉祥当众宣布："为表明国民联军忠于孙中山的三民主义，决心出师策应北伐军，国民联军全体将士加入中国国民党。"

　　李裕智及内蒙古人民革命军参加了誓师大会。

　　在内蒙古人民革命军之中，王瑞符是最后撤离包头的。然而，当他带着革命军的辎重西行至乌拉特西公旗境内时，遭遇一支土匪的袭击。土匪人多势众，革命军辎重部队被打散，王瑞符只身逃回包头。

　　此时，奉军的前锋部队已经占领了包头。王瑞符不敢住客栈，他去找巴振华。巴振华把他安排在包头召西跨院南侧过往僧人居住的房子里，巴振华怕外人猜疑，就让王瑞符给学生代课，王瑞符成了包头召小学的一名教书先生。

奉军军纪涣散，常常买东西不给钱，蛮横不讲理，包头的百姓都盼李裕智早点打回来，可是，人们等了大半年，李裕智一点消息也没有。

巴锦秀十分烦闷，她想跟王瑞符聊聊李裕智，以排解心中的思念之情。一进王瑞符的房间，见哥哥巴振华和王瑞符在喝酒。巴锦秀也加入其中，三人同饮。

巴锦秀心里想着李裕智，她问："王先生，有没有我大哥的消息？"

王瑞符叹了口气："我只是从报纸上看到一点有关革命军的情况，至于若愚，上面很少提及他。"

巴振华安慰妹妹："秀儿，放心吧，报纸上说了，冯将军都打到洛阳了，若愚跟冯将军在一起，不会有问题的。"

三个人正说着，门开了，小林子走了进来。

小林子脸色发黯，眼睛发红，仿佛是被霜打的茄子。

王瑞符惊问："小林子，怎么了？"

听王瑞符这么一问，小林子眼泪掉了下来。

巴锦秀见他如此悲切，一种不祥之兆袭上心头，她一下子从炕上跳了下来："小林子，我大哥怎么了？"

小林子只顾抹眼睛，巴锦秀急了，她双手抓住小林子的双臂吼道："你说话，你说话呀，我大哥到底怎么了？"

小林子只是哭，越是这样，巴锦秀越急："你号丧什么？你不会说话了？你哑巴了？你说话呀！"

巴振华拉开巴锦秀："秀儿，你干什么？让小林子慢慢说。"

巴锦秀放开小林子，小林子抹了一把眼泪道："若愚同志来信了。"

巴锦秀脸上掠过一丝喜色："你有病啊？我大哥来信你哭什么？信在哪儿？快给我。"

小林子这副表情，也令巴振华吃了一惊，一听李裕智来信了，巴振华以为小林子是因高兴而流泪，压在心中的石头消失了。

王瑞符不知是责怪小林子，还是安慰小林子："若愚来信是好事，你哭什么？"

小林子摇了摇头，嘴又咧开了："不是好事，是坏事……"

几个人的心又提了起来，巴锦秀又急道："什么坏事？到底是怎么回事？"

小林子嘤嘤而泣："若愚同志信里说，李先生被张作霖杀了。"

巴振华惊问："哪个李先生？"

小林子道："就是李大钊先生。"

三个人目瞪口呆。

1926年4月，奉系军阀占领北京，张作霖不敢称总统，也不想参照段祺瑞那样称临时执政，而是拼凑了一个安国军政府，他自任大元帅。数月之后，奉系军阀打到上海，长江以北大部分地区落到张作霖手中。张作霖有点飘飘然了，他对一个心腹说："妈拉个巴子的，用不了多久，老子就要统一全国了，到那时，我先成立一个国会，让他们选我当大总统，省得这个大元帅名不正，言不顺。"这个心腹对他说："近来国共两党以苏联使馆为掩护十分活跃，这股势力不铲除，将来大总统也当不踏实。"

张作霖由东北起家，与苏联和日本多有接触，他恨日本，更恨苏联，因为郭松龄反奉差点要了他的命。郭松龄是受冯玉祥指使，冯玉祥的靠山是苏联。张作霖眼睛一瞪："查封苏联使馆，搜捕国共两党！"

1927年4月6日，奉军冲入苏联驻华使馆，李大钊等80余人被逮捕，大量苏联政府和共产国际对国共两党的指示被查抄，李大钊等20位革命者被处以绞刑。

李裕智担心张作霖在全国抓捕共产党，鉴于此，他让王瑞符过黄河到毛乌素一带与大部队会合。

小林子带来这封信的落款日期是1927年4月6日，而现在是1927年9月6日，离李裕智来信整整过去了五个月。

时隔这么长时间，李裕智还会在毛乌素吗？王瑞符陷入沉思之中。

巴锦秀牵挂李裕智的安危，她更想知道李裕智是不是也牵挂自己。巴锦秀一把夺过信，见这封信的前半部分是对形势的分析，只是在结尾写道："巴振华和巴锦秀兄妹虽然不是共产党员，但他们思想进步，政治可靠，有困难可找巴家兄妹商量。"

巴锦秀看罢信的正面看反面，反面正面只有这么几句与她有关，巴锦秀很失望。可转念一想，大哥肯定是担心我的安全，怕我去找他。不行，他越不让我找他，我越去。

"王先生，我和你去找我大哥，咱们一起打军阀，消灭张作霖！"

没等王瑞符说话，小林子开口道："秀儿姐，王先生和你一男一女，路上不方便吧？"

巴锦秀斥道："你闭嘴！"

小林子白了巴锦秀一眼，嘟囔道："好心当成驴肝肺！"

巴振华动之以情，晓之以理："秀儿，你还记得额吉临终前的嘱托吗？额吉让四婶好好照顾你。现在世道这么乱，你走了，额吉在九泉之下能放心吗？还有，四婶要照顾好几个孩子，大的大，小的小，你都这么大了，难道还要让四婶操心吗？再有，大爷爷那么大年纪了，你就忍心一走了之吗？"

大家你一言，我一语，以各种理由劝阻巴锦秀，王瑞符说："若愚这封信是五个月前写的，现在他在哪儿谁也不知道。我看这样，我先去找若愚，等我找到若愚之后，再回来接你。"

巴振华连声附和："对对对，这是个好办法。瑞符先生先去，我也劝劝大爷爷和四婶，如果大爷爷和四婶同意了，秀儿，你不就可以放心地走了吗？"

巴锦秀慢慢地坐下了，没再说什么。

巴振华担心巴锦秀反悔，第二天一早，就把王瑞符送过了黄河。

1927年的初冬异常寒冷，西北风卷着大雪一夜未停，包头城内的大树被刮断了十几棵。已经是上午九点了，如果是平时，四美元茶馆早就坐满了吃烧卖的人。可是，今天的四美元店里冷冷清清，除了几个跑堂的，一个客人也没有。

城门卫兵戴着厚厚的狗皮帽子，穿着厚厚的羊皮大衣，戴着厚厚的皮手套，可刚一出屋，迎面的寒风夹着大雪就把他吹了个趔趄。

城门开了，远处跑来一匹马，马上之人的眉毛和狗皮帽子都是霜。此人来到城门前，笨拙地下了马，可一落地就摔在了雪里。他爬起来，两腿僵硬，犹如两根木棍，走路就像蹒跚学步的孩子。

这个人牵着马，奔包头召方向而去。

包头召小学校长办公室里，巴振华在给学生批改作业。门开了，一个雪人踉踉跄跄地走了进来。

巴振华抬起头："你找谁？"

这个人摘下狗皮帽子，抹去脸上的霜，巴振华惊道："瑞符先生！"他忙站起来，把椅子拉到炉边，"来来来，快烤烤火。"

巴振华给王瑞符沏了一碗茶。王瑞符眉毛拧在一起，看着茶碗发呆。

巴振华问："瑞符先生，怎么了？出什么事了？"

王瑞符沉痛地说："若愚，若愚同志，牺牲了……"

王瑞符话音刚落，"噌"，巴锦秀从外面闯了进来，她眼睛发出剑一样的光芒："你说什么？你再说一遍！"

王瑞符的脸没有一点血色，仿佛跟木雕泥塑一样，他又重复一遍："李若愚同志牺牲了。"

巴锦秀就觉得天旋地转，顷刻之间，大脑一片空白。巴锦秀呆呆地望着王瑞符，仿佛傻了一般。

这些年，巴振华从没见过妹妹流泪，然而，此时此刻，豆大的泪珠从巴锦秀眼中滚落，她大叫："不可能，你胡说！"巴锦秀双手抓住王瑞符的衣领，拼命地摇着。

巴振华来掰巴锦秀的手："秀儿，你干什么？你听瑞符先生说。"巴振华转过脸，"瑞符先生，到底是怎么回事？"

王瑞符道出了事情的原委——

国共两党北伐，大军势如破竹，奉军在上海没多久，就被赶了出去。然而，令人没有想到的是，1927年4月12日，蒋介石在上海大肆屠杀共产党。7月15日，汪精卫在武汉也上演了同样一幕，无数共产党人惨遭毒手，国共两党反目成仇，国共合作彻底破裂。8月1日，共产党在南昌举行武装起义。

身为内蒙古人民革命党中央委员会委员长的白云梯，面临一个选边站的问题。白云梯既是共产党员，也是国民党员，不但如此，白云梯在共产国际还有重要职务。按说，白云梯应该坚定地站在共产党一边，但是，当时的国民党要远远强大于共产党，白云梯决定倒向国民党。

白云梯，字巨川，出生于1894年，内蒙古卓索图盟喀喇沁中旗（今赤峰市宁城县）人。1911年入北京国文专修馆，是北京蒙藏学校建校后的第一批学生，也是李裕智的校友兼学长。在护法运动中，白云梯以国会议员身份远赴广州参加孙中山先生主持召开的非常国会，1924年1月，在中国国民党第一次全国代表大会上，白云梯当选为中央候补执行委员。冯玉祥电邀孙中山北上，白云梯一直跟在孙中山身边。孙中山逝世后，白云梯赴内蒙古从事国民党党务活动，同时筹组了内蒙古人民革命党。1926年底，内蒙古人民革命军总指挥旺丹尼玛牺牲，白云梯接任总指挥职务，后来又从王瑞符手中接管了军官学校。1927年9月，白云梯发表了反共宣言，诱迫李裕智把全体共产党员召集起来，试图一网打尽，遭到李裕智的严词拒绝。

白云梯把警卫连长暴子清叫到身边，交代暴子清伺机行动。

一年前，暴子清在包头酒坊里喝酒，他酒后调戏酒坊老板的女儿，被前去打酒的巴锦秀撞见。巴锦秀三拳两脚把暴子清打倒，押着暴子清回包头召来找李裕智。暴子清在李裕智面前大放厥词，李裕智一怒之下把他扔进了包头召大殿前的水缸里，暴子清方才从醉酒中清醒过来。

第二天一早，李裕智找白云梯汇报工作，暴子清怕李裕智把昨晚的事告诉给白云梯，他跪在李裕智脚下，苦苦哀求。李裕智想，暴子清是白云梯身边的人，暴子清犯了错误，白云梯也不能说没有责任。为了维护白云梯的威信，李裕智训斥了暴子清几句，叫他引以为戒，下不为例，暴子清千恩万谢。

暴子清表面对李裕智服服帖帖，背地里常常向白云梯进谗言，说坏话。当白云梯背叛革命要暗杀李裕智时，暴子清心头大喜，可有机会报复李裕智了。

就在这期间，内蒙古人民革命军的一支部队遭到伊克昭盟王公和陕北军阀井毓秀的围攻。白云梯眼珠一转，我何不借他人之刀除掉李裕智。白云梯派李裕智前去增援，暴子清一同前往。

王瑞符离开包头，历经坎坷，找到了李裕智，两个老战友久别重逢，互诉别离之情。当得知白云梯投靠国民党，又命李裕智进攻井毓秀时，王瑞符暗觉不妙，他劝李裕智不要出兵。李裕智思索良久，如果不去，那支革命军必然全军覆没，为了几百名指战员的生命，李裕智毅然出发了。

临行前，李裕智让王瑞符留守驻地，并叮嘱王瑞符，如果自己发生不测，请王瑞符立刻北赴蒙古，向共产国际报告白云梯的所作所为。

李裕智击退井毓秀部，救出了那支革命军。白云梯一计不成，又生一计，他密令暴子清暗杀李裕智。

李裕智部在毛乌素休整，部队缴获了一批枪支，李裕智的警卫员在擦枪时不慎走火，打死了牧民的一条狗。狗是牧民的忠实朋友，牧民放牧时身边总是不离狗。暴子清以此为由，逮捕了李裕智的警卫员，随后派人通知李裕智前来处理。李裕智一到就被暴子清软禁了，第二天凌晨，暴子清将李裕智秘密处决。李裕智牺牲时，年仅二十六岁。

李裕智牺牲，白云梯将李裕智部全部解除武装，彻底清剿部队内部的共产党员。王瑞符听到噩耗，连夜出逃。

王瑞符说完，巴锦秀顿足捶胸："大哥，你死得好惨哪！"

夜里，巴锦秀辗转反侧，无法入眠。巴锦秀认为暴子清枪杀李裕智与自己那次打酒有关，如果自己不把暴子清押到李裕智面前，暴子清也不会跟李裕智结仇，暴子清不跟李裕智结仇，或许就不会对李裕智下毒手。

巴锦秀猛地坐了起来，她两眼喷火："暴子清，姑奶奶非割下你的人头不可！"

可是，巴锦秀连支枪都没有，如何杀得了暴子清？

雪停了，外面滴水成冰，大地被冻得裂出道道缝隙。

巴锦秀骑马出城，她来到哥老会三堂主苏连鹏家。苏连鹏不由得一愣："九妹，这么冷的天，你怎么来了？"

巴锦秀没有马上答话，她径直走到关羽像前，给关羽上了三炷香，双膝跪在棉垫上，又磕了几个头，然后站起身。

巴锦秀脸色铁青，目光犀利："三哥，我大哥被人杀了，请你给我一支枪，我要替我大哥报仇!"

苏连鹏一皱眉："你是说李若愚吗?"

巴锦秀点点头："三哥，你也知道了?"

苏连鹏凝视着巴锦秀："有几个逃回来的哥老会弟兄对我说过了，我的几个弟兄也死在了暴子清之手。"

巴锦秀问："三哥，那你就这么忍了?"

苏连鹏平静地说："有仇不报非君子。不过，眼下就要过年了，我想过了年再说。"

巴锦秀话语强硬："不行，过了年暴子清不知会跑到哪里。"

苏连鹏眉毛挑了两下，他把茶碗往下一蹾："那好，三哥与你同往!"

第九章

巴锦秀以为是在做梦,她咬了咬舌尖,很疼,不是做梦!脚步声越来越近,虽然很轻,但巴锦秀已经觉察到这个人离自己近在咫尺了!巴锦秀翻身而起,随手出枪。

毛乌素,蒙古语意为坏水,中国四大沙地之一,位于陕西省榆林市和内蒙古自治区鄂尔多斯市交界之间。

巴锦秀、苏连鹏扮成买卖人,两个人过了黄河一路向南。腊月十二,来到毛乌素沙漠。眼看天色将晚,见前面有座土城,二人进城,找了一家客栈。

店小二长得黑不溜秋,腮帮子鼓着,眼睛努着,一脸横肉。见有客人来了他却爱搭不理。巴锦秀一看就别扭,不想在这儿住,她和苏连鹏来到街上,可一问方知,土城内仅有这一家客栈,而且,方圆百里都是沙漠,连个村子都没有。

巴锦秀和苏连鹏又回到客栈。店小二坐在柜台里,两只脚放在柜台上,咿咿呀呀地哼着小调,对两个人跟没看见似的。巴锦秀上前说要住店,店小二摇头晃脑:"住店可以,我们的店可是贵呀!"

巴锦秀气不打一处来,她从怀里掏出一块大洋,"啪"地往柜台上一拍:"这块大洋够不?"

店小二眼睛瞥了一下柜台上的那块大洋，漫不经心地问："谁住啊？"

巴锦秀没好气地说："就我们两个，要两间上房！"

店小二冷冷地说："女客房两块一间，男客房一块一间。你拿一块大洋，就想住两间房，太霸道了吧？"

巴锦秀火往上撞："什么？客房还分男女？两间房居然三块大洋？榆林城的客栈也不过三角一间！"

店小二双脚落地，站起来嘲笑道："榆林城便宜，那你到榆林城去住啊，我们就这个价。"

苏连鹏劝道："九妹，这是独家买卖，不要争了。"

巴锦秀把火压了压，又问："为什么女客房比男客房贵一块大洋？"

店小二翻着白眼："男人死了扎纸马陪葬，女人死了扎纸牛陪葬，你知道为什么吗？因为男人干净，马是喝净水的；女人太脏，牛是喝脏水的……"

巴锦秀一听，店小二这不是骂自己嘛！她勃然大怒，抬手就给他一记耳光。店小二也不含糊，一抬胳膊，架住了巴锦秀的腕子："怎么？想动手？现在店钱涨了，女客房十二块大洋，男客房十块大洋，少一个子儿，那就言青山摞山！"

"言青山摞山"，巴锦秀一时没反应过来。

店小二十分傲慢："我说'言青山摞山'，听懂了吗？"

巴锦秀品味着，"言"字加个"青"，那是"请"；两个"山"字摞在一块儿，那是"出"。两个字合在一起——"请出"！

这可把巴锦秀气坏了，她一把拽出手枪："姑奶奶现在让你'言青山摞山'！"

店小二不但没被吓住，他一指自己的脑袋："想玩横的？来吧，往这打。"

巴锦秀本想吓唬吓唬他，被他这么一激，巴锦秀再也按捺不住了，她食指连扣两下扳机，却没扣动。巴锦秀心急火盛，枪的保险没有打开。

巴锦秀刚要开保险，苏连鹏按下巴锦秀的手，喝道："九妹，不得放肆！把枪收起来！"

苏连鹏对店小二赔笑："这位小哥，来者都是客，和气生财嘛。我九妹脾气不好，还请多担待。你要多少钱，我们给多少钱还不行吗？"

店小二口气有所缓和："这位大哥的话还算中听，就凭你这几句话，你的店钱还是一块，不过，女客官的店钱一个子儿也不能少。"

巴锦秀还要说话，苏连鹏摆手示意不让她开口。

苏连鹏交了店钱，两个人来到后院，各自进了客房。

一路疲乏，苏连鹏和巴锦秀吃了点东西，巴锦秀回到自己的房间，她拉上窗帘，插上门，洗完脚，把手枪放在枕头下就躺下了。

炕热乎乎的，很是惬意。可是，巴锦秀却睡不着，店小二那蛮横的样子在脑海中挥之不去，她越想越气，越气越睡不着，巴锦秀真想一把火把这个店给点了，可又一想，烧了店，我和三哥住在哪儿呢？那就明天，我们明天早晨结了账，结了账我就放火！

巴锦秀又想到了李裕智，想到和大哥李裕智在一起的日子。想着想着，泪水禁不住流了下来。巴锦秀的牙咬得"咯嘣嘣"直响……

不知过了多长时间，好像屋内有轻微的脚步声。巴锦秀以为是在做梦，她咬了咬舌尖，很疼，不是做梦！脚步声越来越近，虽然很轻，但巴锦秀已经觉察到这个人离自己近在咫尺了！

巴锦秀翻身而起，随手出枪。朦胧中，一个熟悉的人影出现在眼前，巴锦秀汗毛都立了起来："三哥！你要干什么？"

苏连鹏食指立在嘴边，声音很低："外面有人！"

话音刚落，"啪啪啪"，外面三声枪响，有人高声道："里面的人听着，把身上的钱财全部留下，给老子马上滚，我们图财不害命。"

巴锦秀披衣而起，她和苏连鹏一个躲在门旁，一个躲在窗边。

苏连鹏身为哥老会的三堂主，久闯江湖，经验丰富，他用黑话问："并肩子，哪个格石的？"

"并肩子"是朋友、兄弟的意思，"格石"是帮派。当时的帮派很多，在社会上混的人大都加入帮派。

外面沉静片刻，有人反问："你是什么格石？"

苏连鹏听出了店小二的声音，答道："袍子。"

"袍子"就是哥老会。

店小二又问："谁是你的大佬？"

"大佬"就是介绍加入哥老会的人。比如，苏连鹏就是巴锦秀的大佬。

苏连鹏高声道："并肩子，你听好了——金卯一刀开汉基，留侯断弓指江溪，一口肥田家无彘，中原大漠有人识。"

这四句诗暗含一个人名——

"金卯一刀"合起来是"刘"的繁体"劉"字，"开汉基"是汉高祖刘邦，取刘邦之"刘"，是对"金卯一刀"的再解释；"留侯"乃刘邦开国第一谋士张良的封号，取"张"字，"张"字断"弓"即为"长"，同样，"江溪"也暗寓"长"字；"一口肥田"即"一""口""田"，"彘"就是猪，猪也是"豕"，"家无彘"就剩了"宀"，这句是"富"字。前三句连起来是"刘长富"。"中原大漠有人识"是说刘长富的名气。

刘长富是塞外哥老会的大龙头，道上人人皆知，外面顿时一阵骚动。有人说："他们也是哥老会的，杀了他们是要被活埋的！"

店小二并不死心，他问："里边的，道个腕吧？"

"道个腕"就是报姓名。

苏连鹏答道："有草有苗有鱼游，莲花根底波不休，飞鸟追逐双满月，义字当先竞风流。"

第一句，"有草"即"艹"，"有苗"，"苗"即"禾"，"艹""禾"加上"鱼"即是"蘇"，简体是"苏"；第二句，"莲花根底"，即为"连"，"波不休"是解释前面"莲花根底"的。第三句，"飞鸟追逐双满月"即为"鹏"。前三句诗合在一起就是"苏连鹏"。最后一句"义字当先竞风流"说的是苏连鹏的做人原则。

苏连鹏说完，外面又是一阵骚动——

"什么？苏连鹏？那不是包头哥老会的三堂主吗？"

"是啊，怎么办？"

外面又传来店小二的声音："那女的特别横，差点把我崩了。"

有人道："再问问那女的，如果女的是外码子，就毙了她。"

店小二对里面喊："豆子什么格石？"

"豆子"就是女性、姑娘。这句是在问巴锦秀是哪个帮派的。

苏连鹏应道："也是袍子。"

外面有人议论："这还用问吗？苏连鹏是三堂主，他带来的人能不是哥老会的吗？"

又一个人道："都别吵！让那女的答话。"

"豆子答话！"店小二对屋里叫道，"什么是风？"

苏连鹏向巴锦秀点了点头，巴锦秀答道："说我是风不是风，五色彩旗飘在空，左边飞龙龟蛇会，右边飞凤迎大同。"

哥老会是洪帮的一个分支，洪帮创立那天，各种旗帜迎风飘扬，洪帮大佬写下了这首"风诗"。

店小二又问："什么是流？"

巴锦秀答道："说我是流不是流，三河之水万年流，五湖来汇三河水，铁锁沉蛟会出头。"

洪帮创立于广东，广东有东江、西江、北江三条河流，洪帮用三条河比喻天时、地利、人和，因此传下这首"流诗"。

店小二再问："什么是宝？"

巴锦秀又答："一湾过了又一湾，我家住在五指山，一心找寻姑嫂庙，左右排来第三间。"

洪帮以反清复明为宗旨。当年洪帮领袖郑君达携妹妹郑玉兰、妻子郭秀英率众与清兵征战，郑君达辗转数省，最后被杀。郑玉兰、郭秀英姑嫂仍坚持战斗，后被清兵围困在湖北襄阳的一条河边。二人不愿被俘受辱，双双投河自尽。一个渔夫将二人尸体打捞上岸，入土安葬。当地人闻讯，筹钱在河边修了一座姑嫂庙，以示纪念。洪帮残部为避清兵追杀，逃到海南五指山，得知此事，洪帮兄弟奔波几千里来姑嫂庙拜祭。洪帮将郑玉兰、郭秀英姑嫂这种坚贞不屈的精神视为帮中之宝，故称此为"宝诗"。

店小二又问："什么是印？"

巴锦秀答道："若问印头头二四，排成三角订佳期，结义金兰为表记，同心合力主登基。"

洪帮盟主陈近南率领众徒与清军对抗，兵败被围。为图东山再起，他给弟子留下了这首诗。因突围那天是农历正月二十四，他抱定必死之心，把本门的大印交给他人，并在印的上面刻下"廿四"，即"若问印头头二四"；陈近南又以右手拇指、食指及无名指捏在一起，授予身边人作为洪帮弟子接头的手势，即"排成三角订佳期"。"印诗"说的是这件事。

后来，"风流宝印"四首诗成为哥老会入门的必诵诗，只要加入哥老会，必须会背这四首诗，这四首诗也就成了确认对方是不是哥老会成员的暗号。巴锦秀入会的时候，苏连鹏都教过她，所以对答如流。

这时，外面有人哈哈大笑："原来是大水冲了龙王庙，都是自家兄弟。行了，打扰了，你们歇着吧。"

脚步之声远去，外面安静下来，苏连鹏这才回到自己房中休息。

第二天，店小二跟换了个人似的，对巴锦秀、苏连鹏又是点头，又是哈腰，照顾得十分周到。

巴锦秀、苏连鹏想跟店小二套套近乎，打听打听暴子清的情况。当天晚上，苏连鹏摆下一桌酒席，他把店小二请来，三个人推杯换盏，喝了起来。

酒酣耳热之时，巴锦秀就向店小二打听暴子清。

店小二喝得有点多，他眉飞色舞地说："暴子清啊，那是我大哥。我大哥可不得了，他以前是国民党中央执行委员会委员白云梯白执委的警卫连长，现在已经升任营长了。"

巴锦秀眼睛一瞪，站了起来。苏连鹏见巴锦秀动怒，忙拉了一下巴锦秀的袖子："九妹，给小二哥倒酒，倒酒。"

巴锦秀只得拿起酒壶，给店小二和苏连鹏每人斟了一盅，巴锦秀的怒容被掩饰过去了。

苏连鹏有意恭维店小二："你和暴营长是把兄弟吧?"

店小二稍加犹豫，他顺杆往上爬："啊，对对对，我们是把兄弟。"

苏连鹏阅人无数，什么人没见过? 店小二一犹豫，他就明白了八九。

苏连鹏吃了两口菜，悠悠地说："我和老六已经有五六年不见了，还是老六有出息呀，我这个三哥是白混了。"

店小二一愣："老六? 老六是谁?"

苏连鹏说："老六就是子清啊，当初我们一起结拜的时候，我是老三，他是老六。我们都是过命的弟兄。"苏连鹏解开自己的衣扣，"等几天我找到老六，非和老六大醉三天不可！"

苏连鹏根本不认识暴子清，可他这么一说，仿佛跟真的似的。

店小二果然相信了，他慌忙站起："原来苏堂主是暴营长的三哥呀！小弟我攀个大，我也叫您三哥，您找暴营长可找对地方了，前些日子暴营长在这儿住了好几天。我们这个店有暴爷一半的股份。对了，三哥，我也实话实说，小弟我表面是店小二，其实我是前台经理，前台就我一个人说了算。"

店小二不叫暴子清大哥，而是叫"暴营长""暴爷"，巴锦秀也开始怀疑他与暴子清的结拜了。

苏连鹏哪管店小二是什么经理，他只是想知道暴子清在哪儿，便问："这儿有老六一半的股份，那可太好了，老六什么时候回来？"

店小二道："他呀，那可没准儿，有时三天回来两趟，有时两三个月也回不来一次。"

苏连鹏装出一副失望的样子："唉，我还以为在这儿能见到老六呢，你让三哥我空欢喜一场啊。"

巴锦秀眼睛忽闪两下，她拿过两碗酒："小二……哥，小盅喝着没劲儿，我们换碗，来来来，我敬你一碗。昨天的事，还请小二哥多担待。先干为敬，我喝了。"

巴锦秀捧起酒碗，一饮而尽，店小二一挑大拇指："女中豪杰！女中丈夫！昨天的事咱们一笔勾销，从今天起，我们就是好朋友，好弟兄。我也干！"

店小二也干了。

巴锦秀抹了一下嘴道："你看我三哥已经好几年没见到暴……暴营长了，小二哥，你能不能想办法让他们兄弟见个面？"

苏连鹏忙说："是啊是啊，我这次就是找老六来的，有笔大买卖，必须请他出马。"苏连鹏望着店小二，假意为店小二惋惜，"这个老六啊，自己都是营长了，有这么好的把兄弟，也不给弄个连长当当，等我见了他，非训他几句不可。"

店小二受宠若惊，"扑通"一声跪在苏连鹏脚下："三哥，不，三爷！您要是能让暴爷给我弄个连长，哪怕是个排长，您就是我的亲爹！"

　　苏连鹏和巴锦秀确信，店小二和暴子清绝不是结拜兄弟。

　　苏连鹏并不捅破，他假戏真做："起来起来，都是兄弟，何需如此大礼。"店小二站了起来，苏连鹏一拍胸脯，"兄弟放心，你的事包在我身上。"

　　店小二连声道："谢谢三爷！谢谢三爷！"

　　巴锦秀和苏连鹏一唱一和："三哥，天下这么大，你到哪里去找暴营长啊？"

　　苏连鹏挠了挠脑袋："是啊，到哪里去找老六呢？"

　　店小二谄媚地说："三爷，我知道啊！离此往东百里之外有座独峰岭，岭下有一户人家。暴爷在那儿有个相好的，每个月我们都按时把钱送到那里。暴爷经常去会相好的，您老人家去那儿找，一定能找到。"

　　巴锦秀暗喜，她紧咬牙关，暴子清，你的死期到了！

第十章

贾奎泰尾随暴子清和两个警卫来到山中，暴子清和两个警卫进了窑洞，贾奎泰一时不知如何下手，忽见两个黑影来到洞前，贾奎泰悄悄地上了树。

巴锦秀和苏连鹏骑马出城，两个人走了大半天，终于到了独峰岭。

山里人家的房子有三大特点：依山、朝阳、临水。人们常把这视为风水，实际是人们总结出的经验——中国北方冬季经常刮西东风，有山挡着，屋里不至于太冷，故依山；有阳光照进屋中，屋里亮堂，故朝阳；人可三日无食，不可一日缺水，故临水。

巴锦秀和苏连鹏都以为独峰岭是一个峰，可是，进了山才发现，是一峰独大，其他的小峰无数。峰与峰之间苍松翠柏，遍布其间，一棵棵大树高耸入云，一眼望去只能看出二十余步。

两个人想找流水的地方，只要沿水而行，就能找到暴子清和他姘头的住处。

天黑了下来，月亮升了起来。果然一条小溪从山中流出，溪流的两侧冰花映着明月，水中微波粼粼。巴锦秀和苏连鹏顺着小溪往山里走，溪边没有路，除了沟就是坎，除了坎就是石头。

巴锦秀和苏连鹏两个人牵着马，深一脚浅一脚，也不知走了多长时间，眼前出现一个水潭，水潭上结了一层薄冰。苏连鹏来到潭边，见薄冰上好像被砸开过。左右看了看，又见地上有两摊冰，冰上有两个圆圆的圈。

苏连鹏冷笑："暴子清的姘头就在附近了。"

巴锦秀心头一喜："三哥，我也看明白了，这圆圆的冰圈就是放水桶的痕迹。"

苏连鹏点点头："九妹说得不错。"

可是，两个人四下看了半天，没有发现有人住的迹象。巴锦秀和苏连鹏正疑惑之时，前面出现三个人影。三个人影走到一排树前就不见了。

巴锦秀和苏连鹏悄悄地跟了过去，这里有十几棵树并排而生，最细的有碗口粗，其他的一个人都搂不过来。借着明亮的月光，苏连鹏辨了辨方向，这排树东西走向，树的北边有一左一右两扇门，门旁是窗，门窗里亮着灯。显然，这是两口窑洞。窑洞前堆着干树枝子。

因为这排树挡着，不到近前很难发现。

巴锦秀提枪就要往窑洞里闯，苏连鹏连连摇头。

两个人立在门外，右边窑洞里传来说话声。

"家里的，给两个弟兄弄点酒肉。"男子吩咐女人，巴锦秀听着有点像暴子清的声音，但不是很清晰。

"当家的，都在锅里，还热乎呢。"女人道。

左边窑洞里传出两个陌生男人的声音——

"谢谢嫂子。"

"谢谢嫂子。"

女人道："都是自家兄弟，要谢也是嫂子谢你们，这些酒肉都是你们带来的。等过几天，嫂子给你们一人找一个黄花大闺女，好好谢谢你们。"

"真的！那可太谢谢嫂子啦！"一个男人说。

"嫂子说话算话？"另一个男人说。

"哼！老娘什么时候说话不算话了？你们就等着好事吧。"女人发出一阵浪笑。

"你嫂子就喜欢办好事：给别人办好事，也给自己办好事。你们呀，就等着搂黄花大闺女吧。"

这下巴锦秀听清了，说话之人就是暴子清。如果是平时，巴锦秀听到这种下流话肯定羞怯难当。可现在，巴锦秀一心要为大哥李裕智报仇，哪里顾得上这些，只觉得心剧烈地跳动起来。

"去，死鬼，哪儿都有你。"女人嗲声嗲气，苏连鹏听着直起鸡皮疙瘩。

"嘻嘻嘻……"暴子清坏笑。

"嫂子，那我们可就等着黄花大闺女了！""是啊，是啊，嫂子。"两个男人说。

"你们就放心吧，嘿嘿嘿……"女人又是一阵浪笑。

左边的窑洞安静下来，灯光映在门窗上，两个黑影一边吃，一边碰盅。

右边窑洞门窗上映出男女搂抱的影子，女人娇滴滴的声音响起："当家的，你半个多月没回来了，都想死我了。"

"翠花，我的心肝，白委员长清剿共产党，我实在走不开，你是不知道啊，那些共产党比耗子还机灵，简直是无孔不入。现在好了，终于清完了，今天上午，白委员长到南京向蒋总司令汇报去了。这不，我一送走白委员长就来了。宝贝，我也想死你了……"暴子清一阵淫笑。

大约过了一个多小时，右边窑洞的灯熄了，不一会儿，左边窑洞的灯也熄了。巴锦秀恨不能一枪结果暴子清的性命，她哈腰向暴子清的那口窑洞走去。

苏连鹏拉住她，两个人退到大树南侧观瞧。"吱扭"，左边窑洞的门开了，月光下，两个男人一前一后持枪而出。两个人在洞前洞后查看一番，然后，解开裤子，各自尿了一泡尿又回了窑洞。

巴锦秀和苏连鹏猜想，这两个人肯定是暴子清的警卫。

巴锦秀、苏连鹏又观察了半个多小时，两口窑洞静如止水，除了微风摇动树梢，再也听不到别的声音。苏连鹏在巴锦秀耳边说了几句，巴锦秀点了点头，两个人悄悄地摸上前去。巴锦秀立在左边窑洞口，苏连鹏轻推右边的窑洞门，然而，门关得很紧，推不出一点缝隙。苏连鹏连试了几次，都无济于事。

巴锦秀向苏连鹏指了指窑洞前的干树枝子，巴锦秀的意思是放火把暴子清烧出来。苏连鹏会意，两个人把干树枝子抱到窑洞前，又找了点干草，巴锦秀点着干草，干草引燃树枝，大火"噼噼啪啪"地烧了起来，两口窑洞的门窗瞬间被吞噬了。

"着火了！着火了……"翠花在窑洞里大叫。

可是，翠花只叫了两声，第三声还没叫出来，就发出了嘴被堵住的声音，然后，里面就没动静了。

巴锦秀和苏连鹏依托大树监视窑洞口。

"嗖"，一个黑影从窑里射了出来。

巴锦秀和苏连鹏同时开枪——"啪""啪""当""当""哗啦"，原来是一件棉衣裹着一个坛子。两个人一怔，"嗖嗖"，右边窑洞里射出两道黑影。两道黑影落地，见是两条湿漉漉的棉被卷，一个棉被卷往左滚，另一个棉被卷往右滚，"咕噜咕噜"，两个棉被卷滚出十几步，里面各蹿出一个人。

巴锦秀和苏连鹏开枪射击，但都没打中，两个人一个跑到树的东南，一个跑到树的西南，他们与巴锦秀和苏连鹏对射。

巴锦秀和苏连鹏难以分神，就在这时，左边窑洞里一个黑影飞出，这个黑影径直滚到树根前，一个鲤鱼打挺站了起来。黑影从两棵树的缝隙间钻出，见巴锦秀正依托一棵大树还击，黑影的枪一下子顶在巴锦秀头上。

"别动！动我就打死你！"

巴锦秀听出了暴子清的声音，她明白了，最先出来的那两个人是暴子清的警卫，他们从暴子清的窑洞里飞出，是为了麻痹巴锦秀和苏连鹏，然后，暴子清出其不意，再从窑洞里出来。巴锦秀和苏连鹏果然上当。

巴锦秀稍加犹豫，暴子清一把夺过巴锦秀手中的枪："你是巴锦秀！"

暴子清认出了巴锦秀。

"正是你姑奶奶！"巴锦秀回了一句。

暴子清喝问："你为什么杀我？"

巴锦秀怒道："因为你杀了我大哥。"

暴子清又问:"谁是你大哥?"

巴锦秀哼了一声:"你不配知道我大哥的名字!"

巴锦秀受制于暴子清,暴子清的那两个警卫共同对付苏连鹏,苏连鹏被逼得无法露头。突然,苏连鹏一个跟头摔倒,手枪落地,身子滚出十几步,仰面躺在地上。

这是生死关头,枪就是命,苏连鹏居然把枪扔了,他是受伤了,还是死了?两个警卫一步步靠近苏连鹏。

两人离苏连鹏只有五六步了,猛然间,苏连鹏双手一扬,两把刀飞出,"噗""噗",两个警卫的脖子上各挨一刀,双双倒下。

原来这是苏连鹏的一计险招,他见两个警卫身子十分灵便,很难对付,如果不尽快干掉他们,想从暴子清手中救出巴锦秀几乎是不可能,所以,他才来个险中求胜。

见两个警卫毙命,暴子清暗叫不好,他对苏连鹏大叫:"放下武器,不然我就打死她!"

苏连鹏躺在地上,既不动,也不说话。

暴子清弄不清苏连鹏是死是活,他想向苏连鹏开枪,可是,一年前他曾被巴锦秀擒获,他知道巴锦秀身上有功夫,因此,暴子清的枪不敢须臾离开巴锦秀的头。

暴子清正不知所措,树上跳下一个人,那人落到苏连鹏身边,向苏连鹏"啪啪啪"连开三枪,那人又踢了苏连鹏两脚,向暴子清道:"营长,这个被我打死了。"

说着,那人向暴子清走去。

巴锦秀大叫:"三哥!"刚要反抗,暴子清的枪紧紧地顶着她的头,巴锦秀急得心都要蹦出来了,但无计可施。

暴子清一见那人,惊道:"贾奎泰!贾副连长?"

"营长,是我。"

贾奎泰原是暴子清手下的排长,暴子清升任警卫营长之后,贾奎泰被提拔为副连长。

暴子清牵挂窑洞中的姘头翠花,但又担心巴锦秀反抗,于是,对贾奎泰吩咐道："快！把这娘儿们绑起来。"

暴子清本可以一枪打死巴锦秀，但他没有下手。一来见巴锦秀长得十分漂亮，他起了歹意；二来他要问清楚巴锦秀为什么杀自己。

暴子清和贾奎泰一起动手，三下五除二把巴锦秀绑在一棵树上。

暴子清和贾奎泰跑进窑洞，窑洞里烟雾弥漫，跟蒸笼一般，呛得人喘不过气来。贾奎泰用自己的衣襟堵住口鼻，暴子清跟在后面。

见翠花倒在地上，暴子清扑上前去，他晃着她的身子："翠花！翠花！"

翠花两眼紧闭，身体软得跟面条一般。暴子清吩咐贾奎泰："快，把她背出去。"

暴子清把翠花扶到贾奎泰背上，两个人出了窑洞，来到大树南侧月光明亮的地方，贾奎泰把翠花放在空地上。

"翠花！翠花！……"暴子清半跪在翠花身边，连声呼叫。好半天，翠花才醒过来，她有气无力："当家的，我死了吗？"

暴子清把翠花抱在怀里："没有，翠花，你没死，我们都没死。"

两个人抱头痛哭。

正哭着，一支枪顶在暴子清头上："暴子清，你杀了李若愚副总指挥，今天我要你的命！"

暴子清一回头，见身后站着贾奎泰。暴子清神色紧张："贾奎泰，你要干什么？"

贾奎泰两眼喷火："你不是要杀尽共产党吗？我就是共产党！今天，我要送你上西天……"

贾奎泰是李裕智培养的骨干，一直在白云梯的警卫连里。暴子清杀害李裕智，清剿军中的共产党员。眼看一个个革命同志死在暴子清的枪口之下，贾奎泰肝胆皆裂，他决心除掉暴子清。

今天，贾奎泰尾随暴子清和两个警卫来到山中，暴子清和两个警卫进了窑洞，贾奎泰一时不知如何下手，忽见两个黑影来到洞前，贾奎泰悄悄地上了树，下面发生的事尽收眼底。

为了麻痹暴子清，使其放松警惕，贾奎泰下了树便向地上的苏连鹏开了三枪。不过，贾奎泰这三枪，一枪也没有打在苏连鹏身上，可他却向暴子清说，他打死了苏连鹏。苏连鹏瞪着眼睛看贾奎泰，贾奎泰也瞪着眼睛看苏连鹏。苏连鹏断定，此人是在救自己！

苏连鹏在与两个警卫激战时，腿部受了伤，趁暴子清和贾奎泰进窑洞之际，苏连鹏忍痛爬到巴锦秀近前，巴锦秀愕然道："三哥，你没死？"

苏连鹏压低声音道："别说话。"说着，解开了巴锦秀的绑绳。

贾奎泰背出翠花，暴子清的注意力全部集中在翠花身上，贾奎泰乘机出枪，暴子清一下子傻了。

贾奎泰刚要开枪，巴锦秀大叫："不要开枪，把暴子清留给我，李若愚是我大哥，我要为我大哥报仇，我要亲手杀了暴子清！"

贾奎泰没有理会巴锦秀，他扣动扳机，"啪"，一颗子弹穿透了暴子清的头颅，暴子清一下子栽倒在翠花身上，翠花"哎哟"一声，没气了。

巴锦秀跑过去，揪起暴子清的衣领，可是，暴子清已经毙命。

巴锦秀枪口对着贾奎泰，声嘶力竭地喊："我的话你没听见吗？你为什么杀了暴子清？为什么不留给我？为什么不让我亲手杀了他……"巴锦秀连珠炮似的发问。

苏连鹏担心巴锦秀失手，他大声呵斥："九妹，这是恩人！"

巴锦秀喘着粗气，瞪着贾奎泰。

贾奎泰平静地问："你是谁？"

巴锦秀头一甩，枪口虽然低了下去，可语调如铁一般坚硬："姑奶奶行不更名，坐不改姓，我叫巴锦秀，李若愚是我结拜大哥！"

贾奎泰大吼："可他是我们的好领导、好兄长！"说完，贾奎泰转身就走。

"啪啪啪……"巴锦秀打出枪里的所有子弹。

贾奎泰停住脚，慢慢地回过头，见巴锦秀的枪口对着地上的暴子清和他的姘头翠花。

巴锦秀拖着疲惫的身子走进包头召大殿，她跪在宗喀巴大师佛像前，两行热泪流了下来。

巴锦秀喃喃地说："宗喀巴神佛，秀儿虽然给大哥报了仇，可是，秀儿只剩了一个空壳，请大师告诉秀儿，秀儿该怎么办……"

巴喜喇嘛从后面走了进来，老人家一脸慈祥："秀儿呀，万事皆有定数，非人力所为。你和他今生无缘，神佛也无能为力呀。只有好好地活下去，才是对逝者最好的安慰。"

巴锦秀扑到巴喜喇嘛怀中放声大哭："四爷爷……"

巴喜喇嘛拍了拍巴锦秀的后背："你一去就是两个多月，连年也没在家过，全家人都在为你担心，快回去看看吧。"

巴锦秀一进家门，见屋中坐着一个四十多岁的半老婆子。巴锦秀认识她，老婆子叫吴妈，吴妈的男人早年去世，平时就靠给人做媒赚点生活费。一见巴锦秀，吴妈两手一拍大腿："哟，这不回来了嘛！"

巴福、郝香香、巴振华又惊又喜。

郝香香上前："秀儿，你大爷爷、你哥，全家人天天念叨你，你可回来了。"

巴锦秀强作笑脸："大爷爷，四婶，哥，秀儿让你们担心了。"

巴福深深地抽了一口烟，又吐了出去："回来就好！回来就好！"

巴振华问寒问暖，巴锦秀应付两句便问吴妈："你来干什么？"

吴妈满脸堆笑："看这孩子说的，吴妈能干什么？一家有女百家求。男大当婚，女大当嫁。你也老大不小了，也该找个人家了，吴妈给你说的小伙子叫占布来，也是蒙古族，那可是远近闻名的好人家……"

巴锦秀打断吴妈的话："我不管是什么人家……"

上次媒婆带着乌拉特东公旗王子来提亲，巴锦秀不动声色，一拳把王子打倒……想到那件事，听巴锦秀这句话，巴福、郝香香、巴振华的心都提了起来。然而，出乎他们意料的是巴锦秀嘴角微微一翘，淡淡地说："吴妈，不用说了，我嫁。"

巴锦秀说嫁就嫁，半个月之后，就成亲了。

第十一章

    巴锦秀匆匆来到前院翰墨轩，可小伙计说贾奎泰昨夜没回来。巴锦秀不禁为贾奎泰担心，他一夜未归，世道这么乱，不会出什么事吧？

    包头的形势仿佛就是当时中国的缩影，冯玉祥的部队走了，张作霖的部队来了；张作霖的部队走了，阎锡山的部队来了。

    1928年，蒋介石指挥国民革命军二次北伐，阎锡山抛弃张作霖倒向蒋介石，国民政府任命其为国民革命军第三集团军总司令。4月，蒋介石与冯玉祥、阎锡山、李宗仁组成四个集团军合力北进，奉军全线崩溃，北京岌岌可危，张作霖不得不放弃北京。1928年6月4日晨5时许，当张作霖的专列驶到奉天（今沈阳）皇姑屯附近的京奉、南满两条铁路交会处的大桥时，被日本关东军预先埋好的炸弹炸毁，张作霖重伤死亡，时年五十三岁。6月8日，阎锡山的第三集团军先行进入北京，南京中华民国政府的青天白日旗取代了北京中华民国政府的红黄蓝白黑五色旗。不久，中华民国政府改北京为北平，改绥远特别行政区为绥远省，改包头县公署为包头县政府，阎锡山全面接管绥远。

    包头县政府位于西门大街10号，城内各个机关学校都到县政府门前集会，庆祝县政府成立。巴振华召集包头召小学全体师生，却唯独不见王瑞符。

巴振华来到王瑞符的房间,见小林子和王瑞符神色异常,巴振华问:"瑞符先生,今天的活动你参加不?"

王瑞符说:"巴校长,你来得正好,我正要向你辞行,感谢你这一年来对我的关照。"

巴振华心中很不是滋味,若愚离开包头召不久就牺牲了,现在瑞符先生也要走,巴振华不禁为他担心。

王瑞符看了看小林子,又瞅了瞅巴振华:"现在除了东北,全国都成了国民党的天下。国民党实行白色恐怖统治,大肆抓捕共产党。按照上级指示,我们要离开包头。"

听王瑞符说"我们",巴振华惊问:"小林子也要走吗?"

小林子目光坚毅:"巴校长,瑞符同志说的'我们'是指包头的一部分共产党员。我不走,我还在老一团。"

巴振华点点头,他望着王瑞符又问:"那你们去哪儿?"话已出口,巴振华马上觉得这话问得有些唐突,自己不是共产党,不该过问共产党的事,巴振华忙道,"对不起,我不该问。"

王瑞符言出肺腑:"巴校长,我们早就把你当成我们的同志了,对你,我们没有什么保留的。若愚同志生前就曾让我们撤向外蒙古,我们要到乌兰巴托。"

巴振华问:"什么时候动身?"

王瑞符道:"明天一早。"

巴振华百般不舍:"那什么时候回来?"

王瑞符低下头,没有说话。

共产国际总部在苏联首都莫斯科,外蒙古的乌兰巴托是共产国际的一个支部。

从归绥、包头一带到乌兰巴托两千余里,当时交通不便,如果徒步而行,一个月也难以到达。包头召为共产党人准备了马匹、干粮和盘缠,先后有乌兰夫、贾力更、佛鼎、奎璧、李森、王瑞符、刘兆高等二十多人经包头召短暂停留赶往外蒙古。包头召因此被共产党人称为"通往共产国际的中转站"。

然而，王瑞符、刘兆高一去就再也没有回来。

一晃儿五年过去了。这五年中，中国发生了三件大事：其一，张学良易帜，南京的中华民国政府在名义上统一了中国；其二，日军占领东北，张学良退到关内；其三，日军扶植清末皇帝溥仪建立了满洲国。

1933 年 7 月，国民革命军第 41 军孙殿英部驻防包头。

包头召小学还是半日制学校。下午，巴振华在办公室里批阅学生的考卷，"梆梆梆"，外面传来敲门声。

"进来。"巴振华在一张考卷上写了个"优"字。

门开了，一个商人打扮的年轻人出现在面前，巴振华站了起来。

年轻人问："先生收皮货吗？"

巴振华激动起来，小林子前几天来过，说有个共产党要到包头召和巴振华接头，小林子告诉了巴振华接头暗号，年轻人说的这句话就是暗号。

巴振华故作平静："这里是学校，只收学生，不收皮货。"

年轻人又问："那收女学生吗？"

巴振华道："男女都收。"

年轻人再问："我有个 7 岁的妹妹，想读书，你们收吗？"

巴振华立刻答道："7 岁的不收，8 岁才收。"

两个人的接头暗号全对上了。

年轻人紧紧地握住巴振华的手："你就是巴校长？"

巴振华笑容满面："我是巴振华。"

年轻人一脸喜色："我叫贾奎泰，当年，李若愚同志是我的上级。"

一提李裕智，巴振华更感亲切，两个人寒暄几句转为正题。

共产国际和中共中央为加强绥远地区的革命斗争，准备建立中国共产党绥远特委。经过慎重研究，上级决定把绥远特委设在包头。要在包头建立党组织，一些党员都想到了包头召，所以，派贾奎泰来与巴振华接头。

巴振华大喜："欢迎！欢迎！你们什么时候来都欢迎。"

贾奎泰想找三个安全的地方开展革命工作，他说："现在革命形势十分严峻，斗争非常复杂。包头召可作为地下交通站之一，巴校长，能不能再找两个可靠的地方?"

巴振华稍加思索:"你们要临街商铺,还是要住宅?"

贾奎泰说:"最好是临街商铺,我们以做生意为掩护,一旦情况突变,方便撤离。"

巴振华道:"我家临街有几间房子,现在都空着,收拾一下就能住。"

自"四一二"以来,国民党从没放松抓捕共产党,把房子给共产党使用,一旦被国民党发现,必然受到牵连,甚至有杀头之祸。巴振华首先想到把革命者安排在自己家中,这充分说明他的政治立场和革命意志。贾奎泰特别感动,看来,还是李若愚同志慧眼识人,结识了这么一位好同志……贾奎泰又暗中摇了摇头,严格地说,巴振华还算不上是我们的同志,他皱了皱眉,像巴振华这样的人,我们为什么不发展他加入共产党呢?

巴振华想了一下,又道:"我有个内堂兄,叫常发财,他也有临街的房子,也可以安排革命同志。"

贾奎泰忙把思绪拉回来:"……人可靠吗?"

巴振华十分肯定:"常发财为人正派,疾恶如仇……对了,两年前,有位从苏联回来的中共领导人,叫什么来着……我一时想不起来了。这位领导在泰安客栈被捕,警察全城搜捕共产党,常发财掩护了两个革命同志。"

贾奎泰想了想:"从苏联回来的领导人?你是说黄敬斋同志吗?"

巴振华连声道:"对对对,就是黄同志!"

1931年9月,共产国际中共代表团派王若飞、吉合等人由莫斯科回国建立中共西北地区特别委员会,领导陕、甘、宁、晋、绥、新等地的斗争。当时,王若飞化名黄敬斋,任特委书记,吉合任军事部长,朱实夫为交通员。王若飞以皮毛商身份为掩护来到包头,住在泰安客栈。

11月21日晚,王若飞与乌兰夫接头,乌兰夫将一份《告全旗蒙民书》和一份《工作报告》交给王若飞,两人准备次日上午一同去陕北刘志丹开辟的革命根据地。

深夜,北风呼啸,乌云翻滚,星月无光,气温骤降。王若飞正在整理乌兰夫送来的材料，突然客栈里传来杂乱的脚步声。王若飞预感到情况有变，他迅速把七页材料揉成团吞入口中，可是，由于纸太硬，王若飞怎么也咽不下去，他只得用力嚼。国民党县党部特务带着十几名警察破门而入，警察从王若飞嘴里抠出了还没来得及咽下的材料，王若飞因此被捕。

第二天上午，乌兰夫按约定时间来到泰安客栈，茶房伙计无意中说出了王若飞的遭遇，乌兰夫迅速离开泰安客栈，跑到交通员李森家。李森负责为王若飞和乌兰夫准备马匹，得知王若飞被捕，警察全城搜捕可疑分子，乌兰夫和李森逃到常发财家。常发财把他们藏入地窖，躲过了敌人的抓捕。

王若飞坐了六年牢，第二次国共合作期间被释放，抗日战争胜利后，因飞机失事牺牲。

泰安客栈位于包头市东河区复成元巷甲 26 号。1996 年 5 月 3 日，包头地区发生了 6.4 级地震，震后东河区街道重新规划命名，复成元巷改为通顺街，泰安客栈改为王若飞纪念馆。如今，王若飞纪念馆有 24 间房，王若飞被捕时住的 3 号房内，火炕、方桌、煤油灯、凳子，以及被褥、毯子等物俱全，基本上保持了当时的原貌。

贾奎泰把三个交通站向上级汇报，上级均表示同意。不久，中共绥远特委建立起来，特委机关设在巴家老宅——东门大街 12 号。刘仁任书记，吉合任组织部长，梁一鸣任宣传部长。

刘仁，土家族，原名段永强，四川酉阳人。刘仁的舅父是赵世炎，当年与李大钊一起从事马克思主义理论宣传，领导工人运动。在赵世炎的影响下，刘仁积极参加反帝爱国运动。后来打入孙殿英部队，当了一名军需副官。

吉合，汉族，原名田德修，河南省郾城县人。1925 年赴苏联，先后毕业于基辅混成干部学校和莫斯科高级步兵学校，1931 年回国。

梁一鸣，汉族，湖南涟源人。一直做党团宣传工作，曾组织领导张家口电灯公司工人罢工。

三个人都不是绥远人，但都在内蒙古地区工作过，有着丰富的斗争经验。

吉合学过医学，巴振华把吉合安排在常发财家，以坐诊行医为掩护；梁一鸣文质彬彬，像个教书先生，巴振华把他安排在包头召小学任教；刘仁仍在孙殿英部队。特委机关的日常工作由贾奎泰负责。

秋高气爽，阳光灿烂，牧场上牛羊成群，田野里谷穗低垂，道路两旁的树上结满了果子，果子泛着红光，一派丰收景象。

包头有东、南、西、西北、东北五个城门。巴锦秀骑着马，穿过草原，穿过田野，穿入西北门，经东门大街，来到巴家老宅。巴锦秀跳下马，一抬头，见大门西侧的门房装修一新，门楣上挂着一块牌匾，上写"翰墨轩"三个大字。巴锦秀有些奇怪，心说，家里什么时候做起了字画生意？

巴锦秀把马拴在门前，推门进入翰墨轩，一个二十四五岁的年轻人正在指导一个小伙计裱字画。年轻人中等身材，眉毛粗重，二目有神，身着灰色长衫，脚上是一双圆口布鞋。

见巴锦秀进来，年轻人对小伙计道："就这么裱，啊……"

小伙计应道："是，老板。"

年轻人迎上巴锦秀："夫人，您要装裱点什么？"

巴锦秀眼睛忽闪着，她上下打量这个年轻人，越看越觉得面熟。猛然想了起来，这不是独峰岭杀暴子清时，从树上跳下的那个人嘛！他对三哥苏连鹏和我都有救命之恩。他怎么在这里？

年轻人也认出了巴锦秀，脸上露出惊喜之色。

巴锦秀开口道："你是贾……贾……贾奎泰，贾先生！"

贾奎泰应道："你是……你是……"独峰岭时，贾奎泰没留意巴锦秀的名字，只记得她跟暴子清自称"姑奶奶"，跟自己也自称"姑奶奶"，便戏谑地说，"你是姑奶奶……"

两个人哈哈大笑。

巴锦秀有点不好意思，她说出了自己的名字，又告诉贾奎泰，这是自己的娘家。贾奎泰方知巴振华和巴锦秀的关系。

巴锦秀几年没回娘家了，四婶郝香香买来好酒好肉，巴锦秀一边和四婶做饭，一边讲述她和贾奎泰相识的经过。得知巴锦秀杀暴子清为李裕智报仇的事,惊得郝香香冷汗直流。郝香香是个知恩图报的人,她让巴锦秀把贾奎泰请来一起吃饭。

一句话提醒了巴锦秀,她放下菜刀,跑到前院。可是,贾奎泰不在,翰墨轩里只剩了那个小伙计,直到天黑,贾奎泰也没回来。

晚上,巴锦秀躺在炕上无法入睡,独峰岭发生的事像电影一样在脑海中一遍又一遍地播放。想着想着,巴锦秀的江湖习气上来了,她"噌"地坐了起来:"我要跟他拜把子!"

巴锦秀拉开窗帘往外一看,外面月光如水,一片静谧。这么晚了,贾奎泰应该回来了吧?可是,三更半夜把人家拉起来拜把子,那不是脑子有毛病吗?

巴锦秀自己笑自己,我真是沉不住气,等明天再说吧。她又躺下了。

巴锦秀过度兴奋,怎么也睡不着,她不时睁开眼睛往窗外看,可天就是不亮。好不容易太阳升起来了,巴锦秀穿上衣服,忽见李裕智从外面走了进来,巴锦秀扑上前:"大哥,你不是被暴子清杀了吗?"

李裕智笑道:"我没死,我逃了出来。"

巴锦秀喜从天降:"大哥,你来得正好,咱们以前结拜过,这回把贾奎泰也加上,咱们三个结拜。"

李裕智道:"小妹,我就是为这件事来的。走,咱们一起找贾奎泰去。"

巴锦秀和李裕智来到前面的翰墨轩,翰墨轩里空无一人,巴锦秀里里外外都找遍了,连贾奎泰的影子也没有。

巴锦秀高喊:"贾奎泰——"

巴锦秀被自己的叫声惊醒,原来是个梦。

吃过早饭,大爷爷巴福和哥哥巴振华都去包头召上班了,巴锦秀匆匆来到前院翰墨轩,可小伙计说贾奎泰昨夜没回来。巴锦秀不禁为贾奎泰担心,他一夜未归,世道这么乱,不会出什么事吧?巴锦秀又安慰自己,不会的,好人自有好报,神佛一定会保佑他。

一连七日,巴锦秀也没见贾奎泰。巴锦秀暗想,难道我和贾奎泰没有结拜的缘分?

第八天，街上传来包头铁路工人大罢工的消息。

当时的铁路装卸货物都靠人力，有个工人因家中孩子病重，半个月没来上班。孩子病情刚刚好转，那名工人就来卸货了。然而，铁路公司却把他赶出大门，以前拖欠的薪水也拒绝支付，这引起了铁路工人的强烈不满。

中共绥远特委在包头铁路工人之中建立了秘密党组织，得知此事，贾奎泰、刘仁等迅速组织罢工，一时间包头铁路瘫痪，大量货物积压在包头站，铁路公司急得跟猴子挠心似的。罢工进行到第五天，铁路方面做出妥协，同意让那名工人来上班，同意给全体工人加薪，并承诺按时发放工资。

包头铁路工人大罢工取得了重大胜利，街头巷尾，茶馆酒肆，人们都在议论这件事。巴锦秀更想跟贾奎泰结拜了。

贾奎泰刚到翰墨轩，巴锦秀一拳打在他肩窝上："你和我大哥李若愚是好兄弟，我和我大哥是好兄妹，咱们结拜行不行？"

巴锦秀讲义气，有侠气，有胆气，有正气。贾奎泰想，要与敌人斗争，就必须发展壮大自己，胆气和正气是革命最需要的。贾奎泰当即答应。

巴锦秀心花怒放，两个人各自说出了自己的生辰八字，巴锦秀和贾奎泰同龄，只是巴锦秀的生日比贾奎泰大两个月。

贾奎泰点上香，两个人跪在地上朝北叩头，贾奎泰道："我，贾奎泰愿与巴锦秀结为异姓姐弟，不求同生，但愿同死，有福同享，有难同当！"

贾奎泰说完了，巴锦秀却没有反应。贾奎泰扭过脸，见巴锦秀脸上流下两行热泪。贾奎泰一愣："大姐，你怎么了？"

巴锦秀抹了一把眼泪："不要叫我大姐。"

贾奎泰莫名其妙，两个人结拜，她大我小，我不叫她大姐，难道还能叫她二妹不成？

巴锦秀心情沉重地说："叫我二姐吧。"

贾奎泰更糊涂了："为什么？"

第十二章

　　贾奎泰因为组织包头铁路工人罢工，执法队早就注意上他了。执法队队长立刻向城防司令禀报，包头五门紧闭，抓捕贾奎泰。

　　巴锦秀无法忘记结义大哥李裕智，她想与贾奎泰尊李裕智为大哥，巴锦秀老二，贾奎泰老三。

　　贾奎泰的心中掀起万丈波澜，什么叫一往情深？什么叫情真意切？什么叫深情厚谊？李裕智都牺牲五年了，巴锦秀对他仍念念不忘，这实在是太难得了！

　　巴锦秀和贾奎泰两个人转面向西，遥拜李裕智为大哥，巴锦秀这才说："长生天在上，我，巴锦秀，愿和李裕智、贾奎泰结为异姓兄妹姐弟，有福同享，有难同当，生生世世，永不变心！"

　　贾奎泰也道："我，贾奎泰，愿与李裕智、巴锦秀结为异姓兄妹姐弟，有福同享，有难同当，生生世世，永不变心！"

　　"二姐！"

　　"三弟！"

　　拜罢，巴锦秀忽然想到一件事，她笑道："三弟，你家住哪里，二老可好？"

一听这话，贾奎泰沉默了，巴锦秀轻声问："怎么？二老病了？"

贾奎泰摇了摇头："我阿爸已经不在了……"

巴锦秀敛起笑容："那你娘呢？"

贾奎泰不由自主地往南看，心中似有万语千言，却说："我几次回家，也没有见到额吉，额吉怎样，我也不知道。"

巴锦秀眼睛忽闪两下："阿爸？额吉？三弟，你不是汉人？"

贾奎泰淡然道："我父亲是蒙古人，母亲是满族人……"贾奎泰仿佛在安慰自己，他长叹一声，"都是过去的事了，不提了。"

巴锦秀勾起了贾奎泰的伤心往事，她有些过意不去："对，不提了，不提了，我们庆祝一下，走，二姐请你吃饭。"

巴锦秀拉着贾奎泰出了门，两个人向一家饭店走去。

虽然贾奎泰早出晚归，但一有时间，他就向巴锦秀讲述全国形势，控诉国民党当局对日本帝国主义的妥协政策。在讲这些的同时，贾奎泰还向巴锦秀讲苏联的十月革命，讲列宁，讲共产党，讲井冈山，讲秋收起义……巴锦秀对红色苏区产生了强烈向往。久而久之，巴锦秀发觉贾奎泰的一言一行、一举一动非常像李裕智，她的心有了微妙变化，这变化常常令她心跳加快，脸红耳热。

巴锦秀的丈夫占布来聪明能干，他一直服侍在达尔罕旗云王身边。云王本叫云端旺楚克，是达尔罕旗的第十一代世袭旗长。云王是成吉思汗的三十一代孙、忽必烈的二十九代孙。云王二十一岁时，承袭达尔罕贝勒爵位。二十六岁时，升任乌兰察布盟副盟长。云王坚决反对分裂国家，受到了大总统袁世凯的高度赞扬，云王由贝勒晋升郡王，由郡王晋升亲王。

民国以来，连年动乱，土匪蜂起，达尔罕旗频遭匪患，广大牧民备受其害。云王审时度势，组建一支保安队，这支武装能征惯战，歼灭了流窜于达尔罕、茂明安两旗的几支悍匪，两旗百姓的安全有了保障，云王的威名也在草原传开了，以致土匪到了草原都绕着达尔罕和茂明安两旗，不敢接近云王的保安队。

"九一八"之后，日本侵占东北，内蒙古东部各盟旗沦陷，日军不断向西部草原渗透，并寻找其代理人，分化瓦解中国。跟日军打得火热的是锡林郭勒盟苏尼特右旗的德穆楚克栋鲁普亲王，人称德王。

占布来和巴锦秀一直没有孩子，占布来的母亲急于抱孙子，就让占布来去包头把巴锦秀接回来。

占布来进了包头城，还没到巴家老宅，就见巴福、郝香香、巴振华和巴锦秀几个人从院中送出一个人。这个人三十多岁，头戴瓜皮帽，身着黑缎子长衫，衣着华贵，派头十足。

占布来定睛一看，这不是德王吗？德王是成吉思汗的三十代孙。德王生于1902年2月，1908年袭封苏尼特右旗郡王。中华民国成立，所有蒙古王公加爵一级，因此，年仅十一岁的德王晋升亲王。自晚清以来，由于大量放垦草原，草场退化，牧场锐减，蒙古民众的利益受到严重损害，牧民生活水平急剧下降，生存环境日益恶化，蒙古民族的抗垦斗争此起彼伏。

1924年，德王出任锡林郭勒盟副盟长。1925年，段祺瑞任中华民国临时执政时恢复国会，德王被推举为临时参议院参政。从此，他广泛结交蒙藏精英，组织参加反对放垦运动。德王还办教育、办卫生、办工业，组建了一支500多人的武装，保境安民。

1930年冬，日本特务胜岛角芳以旅游为名，来到德王地盘，两个人一拍即合。1931年夏，德王去了一趟北平，胜岛角芳请他吃饭。席间胜岛角芳跟德王套近乎，盛赞成吉思汗的丰功伟业。1932年，日本陆军大将林铣十郎、大佐松井等人伪装成喇嘛，到苏尼特右旗进行间谍和诱降活动，德王暗中接待了他们。

德王寻求内蒙古地方自治，他多方打听，终于探知国民政府的底线：在没有外部势力插手的情况下，中央可以考虑内蒙古地方自治。于是，德王要放开手脚，准备大干一场。此时的云王已升任乌兰察布盟盟长，德王自觉资历尚浅，他总是到达尔罕旗拜见云王。德王抱日本人大腿，云王瞅着就别扭。德王知道云王烦他，他大说特说内蒙古自治，云王终于被他说动了。

1933年7月26日，云王在百灵庙主持召开了第一次内蒙古地方自治筹备会议，并向国民政府提出了自治方案。然而，德王却利用他负责给国民政府发电的便利，在通电文稿中的"自治"前擅自加了"高度"两字，成为"高度自治"。

"高度自治"？什么是高度自治？高度自治有多高？离外蒙古的独立做法差一公里还是五公里？国民政府反复强调不得有外部势力插手，这个"高度自治"背后到底有没有外部势力？

国民政府派内政部长和蒙藏委员会副委员长赴百灵庙与德王接洽。双方争执不下，几致决裂，这件事就僵持下来。

德王暗动手脚，云王很不满意，他对德王也渐渐地疏远了。

德王那么高的身份，占布来当然进入不了德王的视线，所以，占布来认识德王，德王不认识占布来。

见德王走远了，占布来上前向巴福、郝香香和巴振华一一问好。

巴锦秀微笑着迎向丈夫："你怎么来了？"

占布来低声说："想你呗。"

巴锦秀掐了一下占布来的胳膊，低声道："大爷爷和四婶都在，你也胡说！"

占布来笑一下，但笑容马上消失了，他悄悄地问："德王来干什么？"

巴锦秀道："德王力推内蒙古自治。听说六伯伯在南京国民政府当了蒙藏委员会的蒙事处处长，他想请大爷爷给六伯伯写封信，德王要去南京见见六伯伯。"

占布来脸色严峻："秀儿，我可听说了，德王跟日本人走得很近。日本人在东北扶植成立了一个满洲国，德王跟在日本人屁股后面，能有好事吗？"

巴锦秀没有对占布来的话表态，她眼睛忽闪几下："你来，我让你认识一个人。"

巴锦秀拉着占布来，夫妻二人走进翰墨轩。可是，贾奎泰不在，巴锦秀问小伙计贾奎泰去哪儿了，小伙计说买宣纸去了。

巴锦秀想，买宣纸不会时间太长，她想等贾奎泰回来，便跟小伙计搭讪："兄弟，你是汉人吗？"

小伙计摇了摇头："不，我是满人。"

巴锦秀道："你天天跟我三弟在一起，你的水平一定也很高，你觉得德王利用日本人争取内蒙古地方自治，对不对？"

小伙计皱了皱眉："争取内蒙古地方自治没有错，可是，要说德王利用日本人争取自治，不如说日本人利用德王分裂中国。满洲国不就是这样吗？"

占布来对巴锦秀道："秀儿，你听见了吧？"

巴锦秀陷入沉思之中。

巴锦秀本想让丈夫占布来和贾奎泰见上一面，可是，贾奎泰一连好几天也没回来，占布来要服侍云王，巴锦秀只得随占布来离开包头，回到达尔罕旗自己的家。

乌云翻滚，几缕阳光从云层的缝隙中照射下来，瑟瑟的秋风摇着树枝，落叶像是暴风雪中失去方向的羊群，顺着风没有目的地奔跑。

气温骤降，包头召禅房中，巴喜喇嘛手里捻着佛珠，嘴唇嚅动。门开了，两个人影出现在巴喜喇嘛面前，巴喜喇嘛微睁二目，见是巴振华和贾奎泰。

巴振华急切地说："四爷爷，快，把贾先生的头发剃了，全部剃掉，剃光。"

巴喜喇嘛的眉毛动了两下，这么冷的天，振华怎么要给贾先生剃光头？可是，再看两个人的表情，巴喜喇嘛没有多问。

"阿弥陀佛，善哉，善哉。"

巴喜喇嘛手脚麻利地取出剃头刀子，用热水化开肥皂，再用软毛刷蘸肥皂水涂在贾奎泰头上。片刻，贾奎泰一头黑发就变成了光头。

巴振华又道："四爷爷，还得借你的僧袍一用。"

巴喜喇嘛脱下僧袍，巴振华给贾奎泰穿上，又给他找了一顶喇嘛戴的黄帽，两个人出了禅房直奔马棚。

巴振华把缰绳递给贾奎泰，贾奎泰飞身上马，打马扬鞭从包头召后门跑了出去。

贾奎泰来到东北城门，见城门前站着两排当兵的，这些当兵的荷枪实弹，其中有个人手里拿着一张黑白照片，与过往行人一一对照。贾奎泰一看，那不正是自己三年前的照片嘛！心顿时提了起来。可又一想，我现在是喇嘛打扮，怕者何来？

贾奎泰下了马，一个当兵的问："你是干什么的？去哪儿？"

贾奎泰稳了稳心神，双手合十："阿弥陀佛，贫僧是五当召的喇嘛，昨日出门化缘，今日要回五当召。"

"五当召喇嘛？"当兵的上下打量贾奎泰，"把帽子摘下来。"

贾奎泰摘下帽子，一阵风吹来，他故意做出寒冷的样子，一缩脖："阿弥陀佛，好冷的天哪！"

当兵的看了一眼照片，又看了一眼贾奎泰的光头，扬了扬手："去吧去吧！"

贾奎泰出了城门，"嗒嗒嗒嗒"飞奔而去。

远处，巴振华见贾奎泰出了城，他才如释重负地回到包头召小学校长办公室，小林子道："巴校长，老贾出城了？"

巴振华长出一口气："出城了。"巴振华问，"小林子，到底是怎么回事？警察为什么要抓贾先生？"

小林子道："巴校长，你也是自己人，我就实话实说吧，贾奎泰的身份暴露了……"

中共绥远特委书记刘仁在41军孙殿英的部队中发展了一批党员，可是，前不久听说41军可能要离开包头去宁夏。刘仁、吉合、梁一鸣、贾奎泰等人认为，包头是塞外的水旱码头，皮毛重地，经济相对发达，最重要的是地理环境优越。如果在包头建立根据地，往北可以直接通向共产国际的支部外蒙古，往南与陕北的刘志丹遥相呼应。几个人讨论后，决定在41军离开之前举行武装起义。

既然起义，就需旗帜。为了不让人发现，贾奎泰深夜到一家裁缝店做旗，裁缝店的老板不想做，贾奎泰出了双倍价钱，老板才答应。天亮时分，贾奎泰拿着几面旗来到泰安客栈。

有个交通员住在泰安客栈，贾奎泰把旗交给他，等刘仁来取旗。不料，刘仁被孙殿英叫去，无法脱身。刘仁只得派老一团的小林子来泰安客栈。小林子还没到，国民党执法队就先到了。

执法队在这个交通员房中查出了这几面旗，这个同志见小林子来了，他连呼冤枉，大喊大叫，说在自己入住客栈时就发现了这几面旗。小林子知道这是交通员在给自己报信，他匆匆离开泰安客栈，跑到翰墨轩向贾奎泰报告。

为了安全起见，小林子想把贾奎泰送出城。两个人还没到东门，就见一队当兵的跑到城门前，对照照片，严查过往行人。

小林子上前一看，发现照片上居然就是贾奎泰。敌人行动如此之快，这说明贾奎泰已经非常危险了。

小林子哪里知道，就在他离开泰安客栈后，执法队把泰安客栈的工作人员全部叫到一起，询问客栈里来过哪些人。泰安客栈的前厅经理在翰墨轩裱过字画，他认识贾奎泰，他说贾奎泰清晨来过。贾奎泰因为组织包头铁路工人罢工，执法队早就注意上他了。执法队队长立刻向城防司令禀报，包头五门紧闭，抓捕贾奎泰。

小林子和贾奎泰跑到包头召，巴振华担心执法队来查，他急中生智，请四爷爷巴喜喇嘛给贾奎泰剃了头。

贾奎泰走了，国民党当局下令全城搜捕共产党。包头一时风声鹤唳，鸡犬不宁。

刘仁认为起义已经不可能，于是，他取消了起义计划。不久，孙殿英的41军也离开了包头。

自1927年南昌起义到1931年秋，在短短的四年时间里，中国共产党在南方创建了10多块"工农武装割据"的农村革命根据地，掀起了土地革命的高潮。1930年12月到1931年9月，毛泽东、朱德领导红一方面军连续取得第一、二、三次反围剿战争的胜利，赣南、闽西两块革命根据地连成一片，形成了以瑞金为中心的拥有21座县城、5万平方公里、250万人口的全国最大根据地——中央根据地。1931年11月7日，中华苏维埃共和国临时中央政府成立。

1933年9月，蒋介石调集50万大军对中央苏区进行大规模进攻，这就是国民政府对工农红军的第五次围剿。经过一年苦战，苏区被一点点蚕食，中央红军从30多万人锐减到8.6万。1934年10月，中央领导机关和红军主力退出根据地，开始了艰苦卓绝的二万五千里长征。

中共绥远特委与党中央联系中断，活动经费用完，全国形势恶化，一批共产党员通过包头召中转，再次撤往外蒙古，巴振华又一次为他们准备马匹、干粮和水。

共产党的革命陷入低潮，德王推动的内蒙古地方自治却轰轰烈烈。

经过多次与国民政府商谈，1934 年 4 月 23 日，经国民政府批准，德王在达尔罕旗重镇百灵庙成立了蒙古地方自治政务委员会，简称"蒙政会"。达尔罕旗云王任委员长，德王为秘书长。山西省主席阎锡山、绥远省主席傅作义、察哈尔省主席宋哲元均派人致贺。蒙政会在形式上成为当时国内蒙古各盟旗统一的民族自治机关。

当时，绥远省下辖八个县及土默特总管旗、乌兰察布盟六旗、伊克昭盟七旗。蒙政会的成立，大大削弱绥远省的势力，时任绥远省主席兼国民革命军 35 军军长的傅作义明里拥护国民政府的决策，暗中设置障碍。绥远处于北部边陲，蒋介石的主要精力都在南方的红军，因此，对傅作义睁一只眼，闭一只眼。

内蒙古地方自治举步维艰，德王想打破这一困局，可如何打破呢？

第十三章

德王加紧勾结日本帝国主义，西蒙工委书记乌兰夫同志再次规劝德王，可德王毫无悔改迹象，乌兰夫同志指示：你们要抓紧时间举行暴动，狠狠地打击德王！

内蒙古山高皇帝远，中华民国政府鞭长莫及。德王与日本人频繁接触，德王甚至暗中到伪满洲国首都与日本关东军密谈。日本关东军司令向德王承诺，如果德王在内蒙古西部建立一个"蒙古国"，日本方面愿资助50万日元、5000支枪，德王欣喜若狂。

有钱，有枪，有日本人做靠山，德王踌躇满志。

1935年11月，德王开始筹建"蒙古军政府"，计划于次年采用成吉思汗纪年。成吉思汗1206年统一草原，德王把这一年定为成纪元年，把民国25年的1936年定为成纪731年，并制作出蓝底右上角红、黄、白三条杠的"蒙古旗"。

改变纪年，以"蒙古旗"取代国民政府的青天白日旗，这叫什么？这叫改元易帜！在中国历史上，只有改朝换代才这样做。

德王真的要建立"蒙古国"啦！

中国共产党不能容忍。中共方面派乌兰夫专程前往百灵庙规劝德王，但是，由于分歧太大，双方不欢而散。

国民政府更是无法容忍。中华民国的领土和主权岂容分割？谁分割谁就是卖国贼！卖国贼，人人得而诛之。国民政府认为："惟德王降日心迹业已明显，多延一日，则势力愈大，范围益广……察绥甘宁青等省均在内蒙境内，并非各省以外另有所谋，内蒙者若准利用蒙政会名义降外，无异将各省领土完全断送。"态度明确，措辞严厉。

达尔罕旗王府每年春节之前都要到绥远省政府打点，已经升任王府总管的占布来奉云王之命来到省会归绥。

占布来和夫人巴锦秀在归绥最豪华的饭庄订了一桌酒席，专门宴请绥远省政府的头头脑脑。

中午时分，占布来和巴锦秀站在饭庄门前迎接客人，绥远省政府的人没到，一个人却出现了。这个人身材偏瘦，器宇轩昂，头戴黑色礼帽，身着黑色大衣，仿佛羊群中的骏马，百鸟中的大雁。

巴锦秀定睛一看，这不是六伯伯巴文俊嘛！

巴文俊，字维崧，1901 年生，是巴福三弟巴祥的儿子。巴文俊少年毕业于土默特高等小学，后赴天津第一中学就读。1919 年五四运动爆发，巴文俊与周恩来、马骏、韩麟符、于芳洲等当时十分活跃的同学，组织带领天津地区的学生赶赴北京，与北京学生共同到新华门请愿，结果巴文俊和数十名学生被军警抓捕，坐了 38 天大牢。经周恩来等人营救，方才返回天津。

1920 年，巴文俊和周恩来等 197 人赴法国勤工俭学。在法国，巴文俊加入了旅欧中国共产主义青年团，加入了中共的巴黎小组。在巴黎警方抓捕周恩来时，巴文俊挺身而出，移花接木，冒充周恩来，使周恩来躲过一劫。巴文俊生活俭朴，他多次把家里寄来的钱拿出来，与周恩来一起从事革命活动。

1928 年，巴文俊学成归来。国民政府急需高层次人才，又因巴文俊在五四运动中有突出表现，因此被召到南京，很快就任蒙藏委员会实业科科长。1930 年，巴文俊出使尼泊尔调解尼藏边境纠纷，得到了蒋介石的赏识，次年升任蒙藏委员会蒙事处处长。

巴锦秀跑上前："六伯伯！你什么时候回来的？到家了没有？"

巴文俊双眉紧锁，见巴锦秀突然出现，他又惊又喜，眉毛稍稍舒展一些："秀儿呀？哦，六伯伯刚回来，还没回家呢。"

巴文俊跟巴锦秀、占布来两口子说了几句话，巴文俊身后过来两个人，两个人与巴文俊交换一下眼色，巴文俊向巴锦秀和占布来挥了挥手就上楼了。

巴锦秀疑惑，六伯伯常年在外，到了绥远不回包头，却住在归绥……正想着，占布来邀请的绥远省政府要员也到了，夫妻二人把客人请进包间。

酒至半酣，巴锦秀想方便一下，一出门，见巴文俊和那两个人匆匆而去。巴锦秀更为不解，六伯伯来去如风，难道有什么事吗？

1936年的春节有点早，公历1月23日就是除夕。

巴氏家族的宗祠也在包头召。清晨，包氏家族各门各支都到包头召拜佛祭祖，祭拜仪式由巴喜喇嘛主持，沙尔沁章盖衙门的章盖巴奎斌也来了。

巴奎斌是世袭章盖。巴奎斌虽然身居章盖之职，却无清朝时章盖的辉煌。清朝的章盖是从四品武官，职级比国民政府的市长还高，而且，薪水全部由国家划拨，衣食无忧。可如今，国民政府连年打仗，财政紧张，章盖衙门的收入支出无人问津。

巴氏族人，巴福辈分最长，他站在第一排，巴奎斌和巴文俊等同辈人站在第二排，巴振华等晚辈站在第三排。

拜佛祭祖之后，巴奎斌和巴文俊进了禅房。

巴奎斌对巴文俊说："六哥，有件事想请你帮我拿个主意。"

巴文俊的目光仿佛燃起了两团火："怎么？难道德王找你了？"

巴奎斌点点头："德王说，我们都是蒙古人，都是成吉思汗的子孙，要维护我们民族的利益只能靠自己。他准备组建两个军，他给我一个团长，让我动员沙尔沁章盖的青壮年，参加他的军队。"

巴文俊冷笑："给你一个团长，官还不小嘛！"巴文俊又道，"组建两个军？看来，德王铁了心要跟政府作对，他的武器从哪儿来？"

巴奎斌道："听说武器全部由日本人提供，日本人还答应给德王配备无线电台呢。"

巴文俊神色凝重："你没答应吧?"

巴奎斌道："没有。我因拿不定主意,才来问六哥。"

巴文俊赞赏地说："奎斌,你做得对。日本人狼子野心,对我中华大地虎视眈眈。不管德王唱什么高调,只要投靠日本人,那是叛国!如果我们与德王同流合污,那必将成为千古罪人!"

巴奎斌为之一振："六哥,有你这句话,我的心就踏实了。"

三六九,往外走。正月初三,巴锦秀和占布来回到巴家老宅。巴锦秀拎着糖果糕点、好烟好酒,来上房看望大爷爷巴福。

巴福房中摆着各式各样的礼品,巴锦秀没和大爷爷说几句话就问:"大爷爷,我六伯伯回来了吗?"

巴福十分开心："回来了,回来了,今年咱们家团圆了!"

巴锦秀左右看了看,并不见巴文俊,她问："六伯伯呢?"

巴福往东南方向一指:"你六伯伯在东厢房接待一个朋友。"

巴锦秀来到东厢房,刚要推门,却听里面传出巴文俊的声音:"德王已经无可救药,你马上回去,通知云继先、朱实夫,按计划行动。"

"是,处座。"一个男人应道。

巴锦秀顿时激动起来,应答之人的声音怎么这么像三弟贾奎泰!

门开了,巴文俊和贾奎泰走了出来。

见巴锦秀站在门外,巴文俊脸色一沉:"秀儿,你怎么在这儿?"

巴锦秀觉得六伯伯的口气比天气还冷,她有点不高兴:"嫁出门的女儿,泼出门的水,不吃香了,站着都碍眼。"

巴文俊僵硬地笑了笑:"秀儿这张嘴跟刀子似的,六伯伯是说,你什么时候回来的? 在归绥,六伯伯有事,没顾上跟你多说,来来来,进屋进屋,六伯伯跟你好好聊聊。"

巴锦秀脖子一扬:"六伯伯当处长了,我们小老百姓哪还攀得上?"

巴文俊嗔道:"你这孩子……"

贾奎泰忙打圆场:"二姐,我也顾不上跟你多说了,我得马上走,你不送送我?"

巴锦秀强装笑脸："三弟，你吃完饭再走呗，着什么急呀？"

贾奎泰低声说："二姐，不能不急。"

巴锦秀把贾奎泰送出大门，她诡异地问："三弟，你们是不是要造德王的反？"

贾奎泰食指立在嘴边，示意巴锦秀不要说话，他压低声音，郑重地说："二姐，可千万不能泄露出去！"

巴锦秀感到问题的严重："三弟，你放心吧……"

正说着，巴振华和小林子走来。小林子跟贾奎泰对一下眼色，两个人都点了点头。小林子和巴振华耳语说了几句，巴振华大步进院，他把小林子和贾奎泰让进一间屋，把妹妹巴锦秀带到另一间屋。

小林子和贾奎泰四只手握在一起，小林子低声道："德王加紧勾结日本帝国主义，西蒙工委书记乌兰夫同志再次规劝德王，可德王毫无悔改迹象，乌兰夫同志指示：你们要抓紧时间举行暴动，狠狠地打击德王！"

贾奎泰深深地点点头："好，我一定把乌兰夫同志的指示传达给云继先和朱实夫同志。"

中共西蒙工委是在中共中央和共产国际领导下建立起来的。大革命失败后，中国革命处于低潮，共产党组织亟待恢复发展，蒙古民族工作亟待加强，中共中央决定从留苏的蒙古族干部中，选派佛鼎、乌兰夫等人回内蒙古地区开展地下斗争。

1929 年 6 月底，佛鼎、乌兰夫一行从莫斯科启程抵达乌兰巴托。在乌兰巴托，他们听取了共产国际驻蒙古代表和中共蒙古负责人关于内蒙古的情况介绍，就如何贯彻中共中央和共产国际的指示制定了具体的工作方案。

佛鼎、乌兰夫等人分东、中、西三路回国，他们分别在各自家乡隐蔽下来。佛鼎、乌兰夫秘密联系一些党员，组建了中共西蒙工委。

西蒙工委书记最初由佛鼎担任。1930 年 2 月，佛鼎调回共产国际，乌兰夫接任书记。当时，内蒙古形势尤为严峻，党组织几乎被破坏殆尽，群众的革命热情严重受挫。面对如此险恶的环境，中共西蒙工委毫不退缩，乌兰夫等人按照既定方针，开展了一系列卓有成效的工作。

1931 年，西蒙工委在中共西北特委的领导下，着手恢复当年李裕智参与组建的中国共产党基层组织，在土默特旗、达拉特旗、五原县等地区，以及"老一团"等地方军队中，建立了 27 个支部；在归绥至包头一线的蒙古族村落中，又发展了一批交通站、联络站。

1934 年，中共西蒙工委以寺庙为据点，建立起一条始自归绥席力图召，经巧尔气召、乌素图召、卓尔沟召、美岱召、沙尔沁召直至包头召的联络线。点、线结合，使共产党在这一带深深地扎下了根，为革命斗争的恢复与发展奠定了坚实的基础。

如今，中共西蒙工委在百灵庙蒙政会中有蒙汉共产党员 30 多名，云继先、朱实夫就是其中的骨干。

贾奎泰对小林子说："小林子同志，我已经见到巴文俊了，他的态度十分明确。"

小林子注视着贾奎泰："巴文俊是什么态度？"

贾奎泰举起拳头："暴动！"

小林子脸上露出笑容："太好啦！"

贾奎泰抑制不住内心的喜悦："面对日本帝国主义，国共两党如此一致，德王的末日不远了！"

1936 年 2 月 12 日是农历正月二十。在日本关东军的操纵下，德王在化德县正式成立了"蒙古军司令部"。绥远省主席兼 35 军军长傅作义一直密切监视德王的一举一动，得知这一消息，傅作义立刻打电报约巴文俊赴归绥，两个人对云继先、朱实夫暴动的善后做了详尽安排。

2 月 21 日晚十一点半，在国共两党的共同努力下，百灵庙暴动成功，次日凌晨两点，暴动队伍 800 多人离开百灵庙，接受傅作义部的改编。25 日，云继先、朱实夫在归绥发表通电，揭露德王投靠日本的叛国行径。

百灵庙暴动，德王暴跳如雷。不过，他不知道云继先、朱实夫是共产党，他把这笔账记到了傅作义头上。德王咽不下这口气，他大把大把地撒银子招兵买马。经过数月的准备，德王终于拼凑了两个军，共 9 个师，德王自任总司令，连以上建制均设有日本顾问或指导官。德王把察哈尔、绥远、阿拉善、额济纳、青海等所有蒙古族聚居地区全部划为他的势力范围。

德王志得意满，他要向傅作义开刀了。

1936年11月5日，日军在化德县的嘉卜寺召开军事会议，这次会议有一个人很是抢眼，此人叫王英，是汉族。日本鬼子封他为"大汉义军"司令。这位"王司令"手下有4个旅，共6000多人。王英与日本人达成交易：日本鬼子给他发工资，他为日本鬼子卖命。

在这次军事会议上，日本关东军高级参谋田中隆吉部署进攻绥远计划。德王暗想，日本人没费吹灰之力就拿下了东北三省，收拾一个小小的傅作义，那还不是小菜一碟？德王底气十足，他向傅作义通电，敦促傅作义24小时之内必须撤除百灵庙以南的所有军事设施和部队，否则，一切后果自负！

傅作义虽然是绥远省主席兼35军军长，但他是山西省主席阎锡山的老部下，其部队受阎锡山节制。国民政府军事委员会委员长蒋介石一直都在分化阎锡山和傅作义，这也是傅作义能被任命为绥远省主席的主要原因。

阎锡山见傅作义跟蒋介石走得挺近，心中很是不满，按照当时的编制，傅作义部的35军应该在一万人左右，由于阎锡山作梗，35军缺编近一半，而且，军装不整，武器落后，弹药不足。

黑云压城，大敌当前。

傅作义不断向阎锡山求援，阎锡山使出了"拖"字诀，既不答应，也不反对。无奈，傅作义又向蒋介石求援，蒋介石先后四次电令阎锡山，阎锡山找各种理由托辞，最后，蒋介石派出中央军增援傅作义。

阎锡山不想把傅作义推到蒋介石怀里，更不想让中央军进入他的势力范围。阎锡山思来想去，只能给傅作义补充兵员、武器和弹药。

傅作义不负众望，双方交火，日伪军连遭重创，傅作义收复了百灵庙。

百灵庙位于包头北部的达尔罕旗境内，距归绥约160公里，是由一座寺庙发展起来的草原重镇。百灵庙与包头、归绥几乎成等腰三角形，这里北通外蒙古的乌兰巴托，东抵化德，南接包头，军事地位十分重要。田中隆吉和德王不惜血本也要把百灵庙夺回来。

天寒地冻，大雪覆盖了草原。

牧民的牲畜都是散养，早晨把牲畜放出去，晚上把牲畜赶回来。这种天气，牛羊只能用蹄子把雪刨开才能啃到草，因此，牛羊出去一天也不一定能吃饱。

12月2日，雪停了。眼看太阳就要落山了，占布来从云王府回到家，见牲畜栏里空空，他跟妻子巴锦秀打了招呼，骑上马，出去寻找自家的牛羊。

占布来上了山坡，见一群马炸群似的向自己这边跑来。占布来不知发生了什么事，定睛一看，见山下有一支军队，那些人正在脱大衣，他们把羊皮大衣反穿在身上。羊毛与雪的颜色接近，一时间，占布来竟看不出这支军队有多少人。

"这些人在搞什么名堂？"占布来自言自语。

正望着，那军队中一个人举起指挥刀往他这边一挥，旁边有人端起枪，"啪""嗖"，占布来的帽子就飞了，"啪啪"，又传来两声枪响，占布来从马上掉了下来。

第十四章

包头城内传出，日本特务机关小队长野村喜二遭抗日分子伏击而亡。后来，又传闻这支抗日队伍有个女司令，这个女司令打得日伪军魂飞胆战。再后来，又传出这个女司令是当年的穆桂英转世，能飞檐走壁，撒豆成兵。

占布来曾在达尔罕旗保安队当过副队长，多次带保安队清剿土匪，有一定的实战经验。见有人向自己开枪，他滚鞍落马，躲到一大块岩石后面。占布来打了个呼哨，把他的马叫到近前，他趴在马背上，飞奔而去。

巴锦秀正在做晚饭、煮奶茶，见丈夫占布来没把牲畜赶回来，而且一脸惊慌，便问出了什么事。占布来喘着粗气说："日本人向我开枪……"

占布来把刚才看到的情景一五一十地告诉给巴锦秀，夫妻二人分析，傅作义部占领了百灵庙，这一定是日伪军以反穿羊毛大衣为掩护，偷袭百灵庙。

巴锦秀掀起围裙擦了两把手："情况紧急，我去百灵庙，告诉傅作义的部队。"

占布来拦住妻子："秀儿，这件事是我亲眼所见，还是我去吧。"

巴锦秀叮嘱占布来快去快回，占布来答应一声出了蒙古包。

傅作义部得到这一情报，立即调整部署。日伪军还没到百灵庙，就被打得落花流水，大败而去。

傅作义收复百灵庙，也叫百灵庙大捷。百灵庙大捷历时38天，击毙日伪军7500余人，伤伪军1400余人，俘伪军600余人，这是中国军队自1933年长城抗战以来取得的又一次较大胜利。全国军民无不扬眉吐气、欢欣鼓舞，蒋介石称赞说："此实为吾民族复兴之起点。"中共中央派人赠送一面"为国御侮"的锦旗。

"九一八"事变，张学良没放一枪一炮就从东北撤出，百灵庙大捷传到张学良的驻地西安，东北军热血沸腾，纷纷要求抗日，一些将领向张学良伏地痛哭。傅作义成了全国人民敬仰的英雄，而张学良"不抵抗将军"的帽子却紧紧地箍在他的头上。在各种因素的共同作用下，张学良发动了西安事变。

西安事变之后，国共两党再次携手，共同抗日，谱写了一曲中华民族不屈不挠的英雄壮歌。

1937年7月7日，日军全面侵华，10月14日归绥沦陷，10月17日包头沦陷，傅作义部避敌锋芒，撤出城市，退到黄河以南。12月1日，德王和日本人把包头县改为包头特别市。

虽然把傅作义赶走了，但百灵庙战役的惨败成了德王心中难以愈合的伤疤。当得知是占布来向傅作义部送的情报时，德王立刻抓捕占布来。

丈夫被抓，巴锦秀心急如焚，她到百灵庙向德王要人，却见四五个身着伪军军装的人从营中走了出来。走在最前面的四十多岁，皮肤黝黑，豹头虎目，神情剽悍，肩上佩戴上校军衔。巴锦秀觉得这个人很眼熟，却一时想不起在哪里见过。

巴锦秀看着伪军上校，伪军上校也看着巴锦秀。巴锦秀虽然面带愁容，但看上去仍很漂亮。伪军上校笑道："你是巴家妹子巴锦秀吧？怎么，不认识我了？我是王富贵呀！"

巴锦秀恍然大悟，当年大哥李若愚初来包头，在一座小庙里避雨时，遇见王富贵割自己的肉，求大仙保佑他升官发财。后来听大哥说，冯来福在石拐矿里要置王富贵于死地，大哥及时出手，王富贵和冯来福下落不明。巴锦秀痛恨伪军为虎作伥，但想到丈夫被抓，王富贵没准能帮上自己。

巴锦秀勉强一笑："是王富贵……王大哥，你当大官了？"

王富贵嘻嘻一笑："也算不了什么大官，只是一个小团长。"

王富贵的发迹是因为他认了个干爹，他的干爹就是被日军封为"大汉义军"的王英。王英，字杰臣，在绥远一带可谓远近闻名。

王英当骑兵营营长时，王富贵投到王英部下。王富贵连割自己的肉都不在乎，还能怕苦怕累吗？王富贵本不会骑马，但为了练就高超的骑术，他身上到处是淤伤。功夫不负有心人，在全师骑兵比武中，王富贵一举夺魁。王富贵给王英争了光，王英从营长直接提拔到团长。原来的团副不服，一天夜里，团副向王英打冷枪，王富贵扑向团副，王英得救了。王英想提拔王富贵当排长，哪知王富贵"扑通"给王英跪下了，他说他不想当什么排长，只想给王英当干儿子。两个人一论年龄，王富贵仅比王英小五岁，王英有点不好意思，但在王富贵的一再要求下，王英答应了。

王富贵不但能吃苦，还给王英出了不少主意，王英一路升迁，他在奉军中当过军长，在阎锡山的骑兵中当过副司令。"九一八"事变后，王英随民族英雄吉鸿昌抗日，参加了收复多伦的战斗。后来部队被日军打散，王英流落他乡，生活十分拮据，王富贵从中周旋，使王英跟日本商人做起了鸦片生意，王英有了钱，他拉起一支部队。

1935年，日本推行以华治华策略，日军收买了王英，如今，王英被日本人任命为绥西自治委员会委员长，王富贵也混成了上校团长。

王富贵由一个混混成了上校，他在巴锦秀面前觉得很神气，王富贵一拍胸脯，说："妹子，有什么事跟王大哥说。"

巴锦秀正在瞌睡之际，王富贵给她送来一个枕头。巴锦秀就把丈夫占布来被抓的事说给王富贵，她眼睛忽闪着："我想求王大哥把我男人放出来，这对于你这样的大官，应该不成问题吧？"

王富贵听完，半晌没有答话。

巴锦秀问道："怎么？王大哥，这件事对你很难吗？"

王富贵不置可否："听说，德王已经把占布来交给了日本人，跟日本人打交道难哪！我再想想办法吧！"王富贵眉毛一动，"对了，妹子，我也有件事想求你，要不，我们找个地方谈谈？"

巴锦秀想，难道王富贵想跟自己做什么交易？可是，现在的王富贵已经今非昔比了，他怎么可能求我？莫不是他要落井下石，对我起了歹意……巴锦秀有心不去，但为救丈夫，还是跟王富贵走了。

王富贵把巴锦秀带进一家餐馆，点了几个菜，要了一壶酒，未曾说话，王富贵先是长叹一声。原来，王富贵有四房老婆，结发之妻麻鹃早亡，麻鹃给他生了一个女儿，取名叫水儿，其他的老婆都没生养。水儿今年十六岁，中学刚刚毕业，现今在包头召小学当了教习。

人过中年，无不希望自己儿女成群，王富贵仅有这么一个独生女，居然还不管他叫爹。王富贵几次去包头召，水儿都避而不见。包头召是巴氏家族的家庙，巴振华是包头召小学校长，因此，王富贵想请巴锦秀回包头时劝劝水儿，让水儿承欢膝下，父女团圆。

巴锦秀心中释然了，她心中想着丈夫占布来，道："王大哥，过几天我就回趟包头，一定好好劝劝水儿。"

王富贵斟了半碗酒，神情沮丧："妹子，你是不知道，水儿这孩子太倔，她认准的理儿，十头牛也拉不回来……"王富贵欲言又止。

巴锦秀猜想，一个女孩家，不管自己的父亲叫爹，还不跟父亲在一起，这其中定有缘故，巴锦秀问："莫不是王大哥伤了水儿的心？"

王富贵端起一碗酒，一饮而尽，他沉吟良久才说："当初，都是我鬼迷心窍，这孩子就恨上我了……"王富贵声音哽咽，说不下去了。

巴锦秀一时不知所措，突然，王富贵"噌"地站起："巴家妹子，你的事我现在就办，你先在这儿等着。"

王富贵一点手，对几个伪军说："你们先陪巴小姐，我一会儿就回来。"

王富贵去了大约四十分钟后，一脸阴郁地回来了，巴锦秀见他的表情，就知道情况不妙："王大哥，我男人怎么样了？"

王富贵道："妹子，我说了，你可要挺住。"

巴锦秀的心仿佛要从嗓子眼儿里蹦出来似的："我男人到底怎么了？"

王富贵道："他上午被日军特务机关小队长野村喜二枪决了。"

王富贵声音不高，可在巴锦秀听来如同晴天霹雳，瞬间大脑中一片空白，她踉踉跄跄地走出餐馆。

王富贵从后边追出来："妹子，妹子，你可不要想不开呀！"

巴锦秀没有任何反应。

王富贵又说："妹子，水儿的事王大哥就拜托你了。"

巴锦秀什么也听不见了，她上了马，狠抽一鞭子，这匹马一声暴叫，飞奔而去。

巴锦秀不知是怎么回到家的，她往炕上一躺，泪水无声地流了下来。巴锦秀一夜没有合眼，她恨德王，恨日本人，她双手抓着炕被，越攥越紧。

夜，沉沉的夜。巴锦秀歇斯底里地叫了一声："我要报仇——"

这声叫犹如一声闷雷，在黑暗的草原上回荡，在空幽的山谷中回荡……

第二天清晨，巴锦秀身着孝服，纵马来到百灵庙，她雇了一辆车，把丈夫占布来的尸体拉回家。巴锦秀高搭灵棚，请喇嘛为丈夫超度。

达尔罕旗保安队的军兵纷纷为占布来送别。

安葬了占布来，天色已经晚了，可是，军兵却不走，巴锦秀看了看大家，总共有四十多人。巴锦秀平静地说："你们都回吧。"

众人相互看了看，目光落在一个连长的脸上，连长往前走了两步："夫人，我听说你当年有个结拜大哥叫李裕智，李裕智被暴子清杀害，你追到毛乌素，给李裕智报了仇，这是真的吗？"

巴锦秀牙关紧咬，点了点头。

连长又问："夫人当年的勇气还在吗？"

连长的声音不高，可每一个字都像重锤敲击着巴锦秀的心。巴锦秀"噌"地站了起来，她一字一顿地说："野村喜二，老娘要宰了你！"

连长激动地说："夫人，占布来总管对我们亲如兄弟，你说怎么干，我们都听你的！"

众人异口同声："我们听夫人的，我们都听夫人的……"

其实，巴锦秀早就拿定了主意，她抱着必死之心，准备今天夜里单人独骑去百灵庙刺杀野村喜二，没想到保安队这四十多人都要跟着她。

巴锦秀抱过一坛子酒，拿起牛耳尖刀，刺破右手中指，把血滴进酒坛子里。众人都明白，巴锦秀这是要跟大家喝血酒盟誓。众人热血沸腾——

"我来！"

"我也来……"

四十几个人各自刺破手指，把血滴在酒坛子之中。

巴锦秀抱起坛子摇了几摇，然后，拿出四十几个碗，每个碗里倒上血酒，众人一饮而尽。

巴锦秀把碗往地上一摔："抄家伙，跟我走！"

巴锦秀等众人各自上马，风驰电掣般杀向百灵庙。

百灵庙是清代达尔罕贝勒所建的旗庙。清代的诸王分四等，依次为亲王、郡王、贝勒、贝子。贝勒是第三等，老百姓把这座庙称贝勒庙，后来"贝勒"转音为"百灵"，"贝勒庙"也就成了"百灵庙"。

百灵庙四面是山，只有东西南三个出入口。东口驻防着德王的军官教导队，西口驻防着德王的一个营，南山上有一个连。

月牙当空，繁星满天，巴锦秀从东面杀来，德王军官教导队的岗哨发现了："站住！什么人？"

巴锦秀理也不理，纵马往里就闯。岗哨鸣枪示警，巴锦秀众人还击，枪声大作。

巴锦秀冲在最前头，后面的人紧紧相随，可刚到营门，脚下一软，巴锦秀马失前蹄，"扑通"摔了下去，"咕噜咕噜"滚到营门口。巴锦秀手脚都被碎石划破，胳膊肘膝盖十分疼痛，她全然不顾。巴锦秀刚要起来，营门里一个黑影匍匐到她身边，巴锦秀立刻出枪。

"二姐，是我。"黑影道。

"三弟！"巴锦秀认了出来，眼前之人竟然是贾奎泰。贾奎泰身着德王部队的军装，巴锦秀愕然道："你跟了德王？"

贾奎泰怕巴锦秀误会，他摇了摇头："我是潜伏在德王部队里的。"

巴锦秀两眼喷火，她顾不上多问："三弟！放我进去，我要杀野村喜二，为你姐夫报仇！"

贾奎泰劝道："二姐，百灵庙戒备森严，你根本进不去。"

巴锦秀怒道："进不去我也要进，大不了一死！"

贾奎泰急道："二姐，你死了谁给我姐夫报仇？"

巴锦秀被问住了。

贾奎泰口气低沉："二姐！这几天野村喜二要去包头押送文件，你不在半路打伏击，为什么要来这里送死？"

巴锦秀怔了一下："此话当真？"

贾奎泰道："二姐，千真万确。"

巴锦秀牙一咬："老三，我听你的，就让这个小鬼子多活几天。"

巴锦秀要走，可回头一看，见营门右侧的机枪吐着火舌，保安队员被压得抬不起头。现在进又进不得，退又退不得。

贾奎泰从腰间摸出一颗手雷，一抖手扔了过去，机枪哑巴了。

贾奎泰推巴锦秀一把："二姐，快走！"

巴锦秀带着保安队的弟兄消失在夜幕里。

半个月后，包头城内传出，日本特务机关小队长野村喜二遭抗日分子伏击而亡。后来，又传闻这支抗日队伍有个女司令，这个女司令打得日伪军魂飞胆战。再后来，又传出这个女司令是当年的穆桂英转世，能飞檐走壁，撒豆成兵。最近又传出，这位女司令被一千多个日伪军包围，可女司令变成一只鸟飞走了。

人们越传越神。

包头召大殿，郝香香跪在宗喀巴佛像前，口中喃喃道："宗喀巴大师，巴家世代礼佛，潜心向善，只因鬼子侵占草原杀了丫头的男人，丫头不得已才反抗。神佛惩恶扬善，降妖除魔，请大师保佑丫头平安吧。"

郝香香半闭着眼睛叨叨念念，一个人从宗喀巴佛像后面走了出来，见此人身材高挑，体态偏瘦，脖子修长，眉清目秀，一口雪白的牙齿，身着宝蓝色蒙古袍，脚上是一双黑色蒙古靴，两只大眼睛忽闪忽闪地眨着。

郝香香惊道："神佛显灵了！神佛显灵了！秀儿！秀儿！"

巴锦秀扑到郝香香怀中："四婶！"

巴锦秀的队伍在草原上坚持抗战两年多，不久前，被大股日伪军困在一座山中，幸亏王富贵在他的防区开了一道口子，巴锦秀才逃了出来。

王富贵虽然是伪军，但放自己一条生路，巴锦秀心怀感激，她一回到包头召就想见水儿。

水儿在给学生上课，巴锦秀走进巴振华的办公室。

巴振华又惊又喜，兄妹久别重逢，自然有说不完的话，但是，二人说了没几句，巴锦秀就把话题引到水儿身上："哥，水儿到底是不是王富贵亲生的？"

巴振华点点头："是。"

巴锦秀又问："那她为什么不叫亲生父亲一声爹呢？"

巴振华皱起眉头："水儿的事不是一天两天就能说完的，还是先说你吧。"

第十五章

王富贵房无一间，地无一垄，除了偷就是抢，麻信怎么可能
把女儿麻鹊嫁给他呢？王富贵灵机一动，鬼点子上来了……

1938年6月，中共中央军委决定在大青山建立抗日游击根据地，以
120师358旅715团为主体，共2300余人组成了大青山支队，358旅政治
委员李井泉任支队长兼政治委员。9月1日夜，支队主力冲破日伪军封锁，
跨过平绥铁路，进入大青山腹地，广泛宣传中共中央的抗日救国十大纲领
和民族政策，得到各阶层群众的热烈拥护，大青山地区的抗日局面焕然
一新。

传说寄托着人们的美好愿望，寄托着人们对英雄的敬仰。巴锦秀没有
像传说中那么神奇，虽然她多次打击日伪军，但队伍的枪支弹药难以保
证，斗争日益艰难。有一天，巴锦秀和贾奎泰意外相逢，贾奎泰劝巴锦秀
加入到八路军之中。巴锦秀早有此意，只是不知八路军在哪里。就在贾奎
泰、巴锦秀率领这支队伍寻找八路军时，遭遇大股日伪军包围。

贾奎泰把巴锦秀的队伍带到八路军驻地时，巴锦秀身边只剩了十几个
弟兄。八路军敲锣打鼓，热烈欢迎巴锦秀，并对贾奎泰的工作大加赞扬。

巴锦秀毕竟是一介草莽英雄，加入到八路军游击队之后，她的江湖习
气暴露出来，遇到能说得来的人就要拜把子，部队领导很是为难。不但如

此，在处理一些分歧时，巴锦秀常常以兄弟情义代替原则。此时，中共中央为了更好地在民族地区开展工作，土默特地方党组织分批分期选送蒙古族青年赴延安深造，贾奎泰觉得巴锦秀有必要学习一段时间。

巴锦秀就佩服两个人，一个是李裕智，另一个就是贾奎泰。贾奎泰说出了自己的想法，巴锦秀不愿意离开贾奎泰，但还是接受了。

南去延安，路过包头，部队首长让巴锦秀回家看看亲人。巴锦秀曾答应过王富贵劝说水儿，王富贵虽然是伪军，但对巴锦秀也算是有救命之恩，所以，巴锦秀没有回家，而是先到了包头召小学。

妹妹要去延安，巴振华有些担心："秀儿，黄河岸边到处都有日伪军把守，你怎么过去呀？"

巴锦秀一笑，笑得既轻松又甜蜜："哥，你放心吧，老三已经安排好了。"

巴振华追问一句："老三？是贾奎泰吗？"

巴振华望着巴锦秀，巴锦秀点了点头，却回避了哥哥的目光。

门外一阵嘈杂，包头召小学放学了。透过窗户，见学生之中有个少女，少女皮肤娇嫩，相貌端庄，衣着朴实，虽然她在笑，但笑容中隐隐地透着幽怨。

巴振华告诉巴锦秀，这个少女就是水儿。

巴锦秀心中狐疑，王富贵说水儿十分倔强，死活不管他叫爹，这么一个楚楚动人的少女，怎么可能连爹都不认？

学生渐渐地走远了，一个年长喇嘛挑着水走向水儿。

水儿上前打招呼："宝大师，谢谢您。"

喇嘛淡然一笑，没有答话。

巴锦秀有些奇怪："哥，这位宝大师是谁？我怎么没见过？"

巴振华道："宝大师叫宝力格……"

宝力格在蒙古语中意为智慧。当年，宝力格喇嘛和巴喜喇嘛同在一座寺庙里出家，巴喜喇嘛称宝力格喇嘛为师兄。宝力格喇嘛虽然年龄较大，但腰不驼，背不弯，精神矍铄，二目放光，仿佛世间万物都逃不过他的眼睛。

半年前，宝力格来到包头召，巴喜喇嘛把师兄留了下来。如今，包头召院内不但有学校、蒙民生计会，还有土默特旗办事处、南海子官渡办事处、街公所，等等。宝力格喇嘛每天除了念经做法事，就是打扫院子，给院子里的各个单位挑水。各单位也象征性地给点钱，但宝力格喇嘛一分不留，把这些钱全部投进功德箱。

水儿拉开自己宿舍的门，宝力格喇嘛挑着担子进了水儿的宿舍。

水儿的宿舍与包头召小学是一栋房子，坐西朝东。水儿的宿舍很简单，一进门靠西墙有个小灶台，灶台上有口小铁锅，小铁锅的旁边有个破木箱，破木箱上挂了一个布帘，里面放着几个碗和盘子。灶台北边有口水缸，灶台南边是一铺小炕。炕上铺着炕被，被子叠得很整齐，上面盖着一条枕巾。

水儿掀开水缸盖，宝力格喇嘛担不离肩，两桶水相继倒进缸中，然后出门而去，水儿送到门外。

巴锦秀一再询问王富贵和水儿父女的事，巴振华只得告诉妹妹——

王富贵也是一个苦命的孩子，十岁那年，随父母走西口来到包头。十二岁时，父母双亡，王富贵流落街头，在走投无路之下，去了讨吃窑。

讨吃窑也叫死人沟，位于包头召西二百米之外，东临马号巷，南临草市街。讨吃窑顾名思义，就是乞丐居住的地方。这里有二十几口破窑洞，各窑洞里的乞丐受"梁山"组织控制。

"梁山"原本是效仿《水浒传》中梁山好汉替天行道、行侠仗义。可是，这个"梁山"学水泊梁山走了样。

当时的饥民很多，"梁山"把这些饥民骗进讨吃窑，干起了鼠窃狗偷之事。"梁山"根据偷盗的类型，指定每个人的活动时间和空间。黑夜偷盗叫"跑红条的"，白天偷盗叫"跑青条的"，一早一晚偷盗叫"打灯虎儿的"。跑了"青条"，就不能跑"红条"；指定在西街做活，就不能到东街。谁犯规矩，就是一顿毒打，轻则十几天下不来地，重则终身残疾。

王富贵在"梁山"中吃尽了苦，受尽了罪。

王富贵二十五岁那年看上了一位姑娘，姑娘叫麻鹊，是广盛西皮毛店老板麻信的女儿。麻信原名林信，林信的父亲原名林永昌。林永昌的哥哥林永盛和失散二十多年的妻子李二改重逢，与双胞胎的女儿巴文雅、林玉凤相认。失散多年的亲人终于团圆了，林家兄弟商量，全家改回祖姓，于是，林永盛成了麻永盛，林永昌成了麻永昌，林信也相应地成了麻信。不久，麻永昌过世，麻永盛、李二改一家随部队去了北平。

麻信使广盛西皮毛店再度辉煌。王富贵房无一间，地无一垄，除了偷就是抢，麻信怎么可能把女儿麻鹃嫁给他呢？王富贵灵机一动，鬼点子上来了，他在"梁山"中有个结拜的兄弟，他让这个兄弟带几个要饭的绑架了麻鹃，王富贵来个英雄救美，还故意受了点伤。

麻信要把王富贵送到医院治疗，王富贵坚持不去，说上点药就会好的，麻信把王富贵请到家中敷药。

麻鹃是个心地善良的姑娘，她把王富贵留了下来，每天服侍王富贵，两个人日久生情，麻鹃爱上了王富贵。

王富贵的伤很快就好了，见王富贵无意离开麻家，又跟女儿麻鹃眉来眼去，这引起了麻信的怀疑，他给王富贵一百块大洋，打发他走人。

麻鹃拉着王富贵跪在麻信面前，求父亲把王富贵留在店里当学徒。

为了让王富贵死心，麻信托人给麻鹃提亲，可麻鹃对父亲说：非王富贵不嫁。麻信一怒之下，把王富贵赶出家门，麻鹃也跟着王富贵走了。

麻鹃和王富贵在城外租了一间破房子，两个人在这个破房子里成了亲。

贫贱夫妻百事哀。王富贵没有正当职业，两口子吃了上顿没下顿。王富贵想回讨吃窑，再去偷窃，麻鹃坚决不同意，她变卖自己的首饰，让王富贵做个小本生意。可没有两个月，血本无归。

王富贵每天很晚才回家，每次回家都喝得醉醺醺的。麻鹃有了身孕，王富贵仍然是我行我素。那年冬天，王富贵一连半个多月没回家，麻鹃挺着大肚子去挑水，结果在冰上滑倒，一个不足月的女儿降临人间，麻鹃就把这孩子取名水儿。

麻信得知后，把女儿麻鹃接回家中。水儿满月那天，王富贵来麻家找麻鹃。麻鹃是个传统女人，嫁鸡随鸡，嫁狗随狗，父亲苦留不下，麻鹃抱着水儿跟王富贵走了。

后来，王富贵投军到王英部下，认了王英为干爹，随着王英势力做大，王富贵也从排长干到连长，从连长干到营长。王富贵经常把钱捎回家，麻鹊和女儿的日子有了保障，但王富贵却不回家了。

水儿六岁那年，王富贵驻守在包头西的五原县，麻鹊带着水儿去找王富贵。哪知半路上被几个土匪劫持，麻鹊遭到强暴。水儿目睹母亲撕心裂肺的哭号，这件事在水儿心中留下了无法愈合的伤痛。

然而，更让麻鹊痛不欲生的事还在后面。当麻鹊带着水儿找到王富贵的军营时，王富贵正在和另一个女人拜堂。麻鹊由悲生怒，她闯进新房，推倒桌子，打翻红烛，扯下帷帐。王富贵怒不可遏，扇了麻鹊几记耳光。

麻鹊带着水儿离开军营，夜里无处栖身，麻鹊抱着水儿靠在一棵大树上。麻鹊也哭，水儿也哭。水儿哭累了，闭上了眼睛。麻鹊见女儿睡了，她万念俱灰，一头撞向大树，气绝身亡。

第二天清晨，当兵的发现麻鹊的尸体，把这件事告诉给王富贵，王富贵悔之晚矣，他把麻鹊草草地埋了。

王富贵想把水儿留在自己身边，可水儿死活不干。王富贵只得派人把水儿送到包头城内的麻信家中。麻信又悲又痛，又哀又怜，他抱着水儿老泪纵横。一年后，麻信把水儿送到马王庙小学，水儿上完小学，又上中学。中学毕业后，麻信找到巴福，念及巴、麻两家几代人的交情，巴福跟巴振华打了招呼，水儿在包头召小学当了教习。

王富贵在麻鹊之后娶了三房老婆，可是，三房老婆都没给他生养。人过中年，膝下无儿无女，王富贵想起了水儿。王富贵几次到包头召见水儿，求女儿原谅他，可水儿视他如路人。王富贵痛心不已。

听了巴振华介绍，巴锦秀大怒："王富贵自作自受，活该！"

在巴振华的引见下，巴锦秀与水儿见了面。水儿早就听过关于巴锦秀的传说，她对巴锦秀极其敬慕，一口一个"姑姑"，叫得特别亲。

半个月后，巴锦秀接到贾奎泰的通知，她去了包头东二百余里的察素齐镇。

1939 年 8 月，乌云笼罩着塞北高原，土默川上空阴雨绵绵。午后，雨停了。从察素齐镇的几家店铺里，三三两两地走出一些年轻人，他们有的像走亲戚，有的像跑买卖。这些人相距不远，一路向南。贾奎泰安排巴锦秀与这些人一起去了延安。

宝力格喇嘛挑水不在包头城内，而是到东门外博托河对岸的转龙藏。

相传，1726年（雍正四年），土默特部有位僧人云游到博托河东岸，见这里树木苍郁，泉水淙淙，环境幽雅，景致宜人，便将此地起名为转龙藏。据《转龙藏碑记》载："包镇之东有转龙藏，水泉出也。其水旋转之势，曲折蜿蜒，有似乎龙；而泽灌千畦，并豢万家，宝藏与焉。古之命名，意在斯矣。"

这位僧人在转龙藏附近建了一座庙，起名叫龙泉寺。转龙藏山好，水好，树好，龙泉寺掩映其中，转龙藏一度成为包头旧城八景之一。

龙泉寺门外有座望河亭，望河亭下有三眼泉水，泉水自三个龙嘴流出。泉水清冽甘甜，包头城内的一些富足人家都吃这里的水。宝力格喇嘛就是在这里挑水。

今天来挑水的人有七八个，人们一一在龙嘴下接水。宝力格喇嘛挑着两只空木桶走来，他把扁担立在墙边，提着木桶排队。

前面的两个人悄悄议论——

"听说没？出事了？"

"出什么事了？"

"昨天晚上石拐的一个伪军营房被端了，听说有个日本鬼子也成了俘虏。"

"真的？"

"石拐那个营房有三四百人，可不知为什么，昨天上午调走了二百多，哪承想，当天夜里老八就来了。"

"你是说八路干的？"

"那还用说……"

"老八都神了！"

宝力格喇嘛嘴角微微往上翘了翘。

宝力格喇嘛挑着水回到包头召，街公所里走出一个人问："宝大师，这担水送到我们所里来吧？"

宝力格喇嘛道："这担是巴校长的，下担吧。"

那人道："行，那就下担吧。"

宝力格喇嘛走到包头召小学校长办公室门前。他放下扁担，敲了敲门，巴振华推开门，宝力格喇嘛弯腰再次把水挑起。进了校长办公室，宝力格喇嘛把扁担平放在地上，他和巴振华对视一下，然后，提起一桶水，倒入缸中，再提起另一桶水，又倒入缸中。

巴振华有些激动："谢谢！谢谢宝大师！"

宝力格喇嘛向巴振华微微一笑，巴振华从地上拿起扁担，双手捧给宝力格喇嘛，宝力格喇嘛挑着两只空桶出了办公室。扁担钩和桶梁摩擦，发出悦耳的声音，宝力格喇嘛的步子轻松得像要飞起来。

八路军大青山抗日游击队神出鬼没，打得日伪军晕头转向。退到杭锦旗一带的傅作义部官兵也不甘示弱，他们摩拳擦掌，准备狠狠痛击日本帝国主义。

抗战之初，傅作义任第二战区北路军总司令，所部35军移防晋西北的柳林镇。当时，傅作义部驻防区和八路军120师贺龙部隔河相望，双方交换情报，建立联防。

这期间，傅作义多次暗中拜会毛泽东，毛泽东赠送他许多政治书籍和论述抗战的著作。后应傅作义的请求，延安向35军输送了大批优秀学员。

阎锡山得知一批共产党进入傅作义部后十分恼火，怒称"傅作义的35军已成为'七路半'"，言外之意就是离八路不远了。

阎锡山密电蒋介石，提出撤换傅作义。

阎锡山盘踞山西，国民政府针插不进，水泼不入，多年来，蒋介石一直都在挖阎锡山的墙角，于是，他任命傅作义为第八战区副司令长官兼第二战区北路军总司令，移防绥西，傅作义摆脱了阎锡山的控制。不过，迫于各方面的压力，傅作义还是将其部队中的共产党员送回延安。

1939年秋，八路军成功地伏击了日军第8混成旅团的辎重部队，旅团长阿部规秀中将被击毙。傅作义部将士受此鼓舞，纷纷请战。

傅作义有自己的想法，不打则矣，要打就打出威风，打出士气，打疼、打残日本鬼子。傅作义的目光盯上了包头城，关东军中将小岛藏吉的司令部就在城中，城内的驻军有日军的两个联队，王英的一个伪军师，总共一万多人。

如果能收复包头城，那对提升全国军民的抗日热情将起到非常重要的作用。

然而，包头东部的萨拉齐县有日军一个骑兵旅团，北部的固阳县有日军的一个骑兵联队，西部的乌拉山还有王英绥西自治联军的 5 个伪军师。如果包头不能速战速决，日伪军就会从东北西三面合围，那对傅作义可是极其不利。

要是包头城有内应，拿下包头的把握就会大大增加。可是，到哪里找内应呢？

第十六章

　　不行，水儿心里的伤疤一碰就流血，我不能再给她增加痛苦了。可是，除了王富贵还能策反谁呢？巴振华猛然醒悟，对呀！这个人有情有义，我为什么不从他身上下功夫？

　　今天的包头市东河区胜利路铁路小区有个很气派的门廊，八根粗大的白色立柱分为左右四组，高高地擎起一个穹顶。门廊前有块石碑，上刻"侵华日军驻包司令部址——原有三进院落，现仅存此门，仿罗马式建筑。1932年阎锡山创办'绥西屯垦督办公署'设此，同时，阎部王靖国七十师师部、绥西警备司令部亦在此院内。日军侵华期间（1937年—1945年），为日军小岛司令部。"

　　1939年的冬天，包头城外寒风刺骨，滴水成冰。日军的司令部大门前戒备森严，一左一右两个岗亭里各站一个日本兵，岗亭外还有两个哨兵，这两个哨兵挎着枪，手里拿着红绿两个小旗，盘查出入司令部的日伪军证件。

　　一辆军用吉普车开来，两个哨兵打旗语示意停车。吉普车刹车，车上下来两个人，一个是王富贵，另一个是苏连鹏。

　　苏连鹏原是包头哥老会的三堂主，李裕智被害的前一年，苏连鹏的妻子病故。苏连鹏之所以和巴锦秀一同去杀暴子清，一方面是为哥老会的兄弟报仇，另一方面是他对巴锦秀产生了好感。

铲除暴子清时，苏连鹏大腿受了枪伤，巴锦秀把他送到附近的一个私人郎中家，经过一个多月的治疗，苏连鹏的伤才好。巴锦秀一直服侍在苏连鹏身边，苏连鹏向巴锦秀流露过再娶的想法，可巴锦秀失去结拜大哥李裕智，终日无精打采，她只当苏连鹏是兄长，从没多想。

苏连鹏碍于面子，也不好把这层纸捅破，他想回到包头再找机会到巴家提亲。

哪知，巴锦秀还没到家，媒婆就坐在巴家等着了。巴锦秀心如死灰，反正女人是要嫁人的，早一天出嫁大爷爷和四婶早一天省心，所以，巴锦秀问也不问对方是谁，家庭出身如何，人长得是丑是俊，她就答应了。

苏连鹏再想提亲，为时已晚。

巴锦秀嫁给达尔罕旗的占布来，苏连鹏远远地望着，他默默地跟在迎亲队伍后面，不知不觉走出了三十多里。巴锦秀心中的支柱没有了，她的心是空的，根本就没有注意迎亲队伍后面有人跟着。

苏连鹏回到家中郁闷了好长一段日子。后来听说巴锦秀的丈夫被日军杀了，巴锦秀拉起了一支抗日队伍，苏连鹏来了精神，他把手下所剩不多的哥老会会员组织起来，进山寻找巴锦秀。

可是，大青山太大了，加之日伪军频繁扫荡，一个晚上巴锦秀常常要换好几个地方。苏连鹏如盲人骑瞎马，哪里找得到？苏连鹏与日伪军周旋没多久，在一起战斗中遭王富贵包围，苏连鹏举枪自杀，王富贵觉得他是条汉子，就把他拦住了。从此，苏连鹏就跟了王富贵。

不久前，王富贵升任伪绥西自治联军参谋长，苏连鹏当了警卫营长。

两个人出示证件，日本兵放行。

吉普车在日军司令部楼前停下了，苏连鹏先下了车，他一手拎着一个精致的皮箱，另一只手拉开了王富贵的车门。王富贵下了车，苏连鹏把皮箱递给了王富贵。王富贵拎着皮箱走进楼门。

大约过了十几分钟，王富贵两手空空地从楼里出来了。吉普车离开日军司令部，奔包头召方向而去。

包头召大殿的一楼、二楼是上下贯通的，在二楼中央，有五米见方的面积没铺楼板。大殿的门关着，巴振华和贾奎泰站在一楼，二楼的阳光照了进来，冬日的太阳总是那么可人，两个人都觉得很温暖。

巴振华想随巴锦秀称呼贾奎泰"老三"，可一张嘴，却没叫出来："贾先生，一晃儿好几年不见，你好吧？"

贾奎泰也很激动："好！好！巴校长，你也好吧？"贾奎泰仍像当年那样叫巴振华为"巴校长"。

巴振华连连点头："好！好……秀儿也好吧？"

贾奎泰满脸笑容："很好，巴锦秀同志活泼开朗，能歌善舞，一到延安就成了陕北公学的文艺委员，是学校著名的女歌手，她走到哪里就把歌声带到哪里。前不久，她还到杨家岭为中央首长演出呢！"

贾奎泰从前称呼巴锦秀为"二姐"，今天怎么叫"同志"了？巴振华虽然有些纳闷，但还是特别高兴："妹妹选对了方向，这我就放心了。"

贾奎泰又道："还有好消息呢，组织上已经考查巴锦秀同志了，巴锦秀同志很快就要加入中国共产党啦！"

巴振华更为激动："太好啦！太好啦！"他思索一下，"贾先生，你看我可以加入中国共产党吗？"

贾奎泰脱口道："当然可以！当年你把李裕智同志接进包头召，帮助李裕智同志在包头召建立了包头的第一个党组织；大革命失败后，我们党的一些同志要转移到苏联和外蒙古，你又是送盘缠又是送马匹；还有，你不顾全家安危，把中共绥远特委机关设在你们家……这些，我们党都记着哪。"

巴振华身子有点颤抖："那我什么时候能入党呢？"

贾奎泰敛起笑容："巴校长，我回去就向上级汇报，一有消息，我立刻通知你。"

巴振华连声道谢，他知道贾奎泰这次来一定有新的任务，巴振华主动地说："贾先生，有什么任务，你就说吧。"

贾奎泰道："现在是国共两党携手抗击日本鬼子，傅作义将军要攻打包头城，但包头是绥西日军的大本营，周边驻有大量日伪军，如果短时间内不能打开城门，日伪援军一到，内外夹击，傅作义将军必然遭受重大损失。现在需要你寻找可以信赖的关系策反守城伪军，在傅作义进攻时打开城门。"

巴振华想了想说："放心吧，贾先生！我巴振华就是为振兴中华而生的，只要为我中华民族，巴振华就是粉身碎骨也在所不惜！"

巴振华和贾奎泰四只手紧握在一起，贾奎泰心潮翻滚：巴振华虽然出生于蒙古族富裕家庭，但是，他对内蒙古革命做出了重大贡献，这比在战场上真刀真枪与日寇拼杀毫不逊色。可我们有些同志片面地强调共产党是无产阶级政党，不同意发展巴振华入党，这对巴振华是不公正的。还好，巴锦秀得到了中央领导同志的认可，她的入党申请马上就要通过了，这样一来，巴振华入党的希望就会更大一些。

贾奎泰正想着，外面传来马靴敲击方砖的声音，贾奎泰和巴振华隔着门缝一看，见两个伪军已经穿过天王殿来到院中。走在前面的是王富贵，后面的是苏连鹏，苏连鹏手中拎着一个精制的皮箱。

巴振华一惊，近来城内风声很紧，日伪军大肆抓捕抗日分子，难道是他们发觉了贾奎泰？巴振华瞬间就否定了自己，不可能，如果发现贾奎泰，不会是王富贵和苏连鹏两个人进来，更不会拎着皮箱。巴振华马上明白了，王富贵一定是为了水儿。可是，不管为谁，都不能让王富贵和苏连鹏见到贾奎泰。

巴振华一拉贾奎泰的手："贾先生，跟我来。"

巴振华把贾奎泰从大殿的后门送了出去。

王富贵和苏连鹏都是身着军装、马靴，两个人格外显眼，东西跨院的各单位纷纷探出头来张望，两个人不加理会，直接走向大殿正门。

巴喜喇嘛和宝力格喇嘛双手合十，巴喜喇嘛道："阿弥陀佛，施主是来烧香的，还是来还愿的？"

王富贵合掌当胸："大师，我是来烧香的。"

巴喜喇嘛和宝力格喇嘛一人拉开一扇门，巴喜喇嘛道："施主请。"

王富贵没动，苏连鹏先行入殿，他在殿内走了一圈，然后来到门前向王富贵点了点头，王富贵这才步入大殿。

王富贵走到功德箱前，把一沓百元的蒙疆票子投入箱中。

蒙疆票子是伪蒙疆联合自治政府中央银行发行的货币。伪蒙疆政府是由日本人操控、德王站在前台的傀儡政府，其首都设在归绥。德王认为归绥有贬低蒙古人之意，他改归绥为厚和豪特，简称厚和。新中国成立后，取厚和豪特的谐音更名为呼和浩特，直至今日。

伪蒙疆政府中央银行简称蒙疆银行，蒙疆银行成立于 1937 年 11 月，总部设在张家口。蒙疆银行在大同、北京、天津、归绥、包头、多伦等地设有十几个分行，日本首都东京和伪满洲国新京长春也有办事处。蒙疆票子有一元、五元、十元、百元及一角、五角、五分纸币等，与日元和满洲中央银行纸币（满洲国圆）等值流通。

王富贵投完票子，跪在宗喀巴大师神像前，他脸色颓然，精神萎靡，祷告的声音很低，就连站在两旁的巴喜喇嘛和宝力格喇嘛也无法听清。

良久，王富贵站了起来。

王富贵出了大殿，来到西跨院包头召小学前。水儿在给学生上课，忽见学生都透过窗户往外看，水儿板起脸对学生说："精力集中，看黑板，好好听老师讲课！"

巴振华从校长室里走了出来："王参谋长来了，哎呀，今天外面这么冷，来来来，屋里请，屋里请。"

王富贵向巴振华点点头，迈步走进巴振华的办公室，苏连鹏也跟了进来。王富贵一指苏连鹏对巴振华说："巴校长，这是我的警卫营长苏连鹏。"

巴振华连声道："认识认识，苏营长以前不是哥老会的三堂主吗？包头无人不知，无人不晓。"想到巴锦秀和苏连鹏拜过把子，巴振华向苏连鹏抚胸鞠躬，一语双关，"苏三哥，混得不错嘛，都当上营长了。"

苏连鹏含糊地应了一声："啊……"脸上很不自然。

巴振华给两个人沏上茶，王富贵却对苏连鹏说："你先到外面守着，我跟巴校长说点事。"

"是。"苏连鹏出去了，他手里一直拎着皮箱。

王富贵关上门，他堆起笑脸："巴校长，水儿挺好吧？"

巴振华微笑道："挺好，挺好。水儿工作认真，聪明能干，蒙古语、汉语兼通，是个难得的人才啊！"

王富贵往巴振华身边拉了拉椅子，声音很低，几近哀求："巴校长，我有一事相求，你能答应我吗？"

巴振华心知肚明："参座，有事只管吩咐。"

王富贵欠了欠身，似乎觉得对巴振华的尊敬还不够，他站了起来，挺胸、立正，向巴振华敬了个标准的军礼，巴振华连声道："参座，这我可受不起，受不起。有事您只管吩咐，只管吩咐。"

巴振华虚扶王富贵坐下，王富贵未曾说话，双手抱头，眼圈发红，他断断续续地说："我是她的亲生父亲哪，她身上流着我的血啊，可她，她，她就是不认我这个亲爹……这也不能怪孩子，是我太混蛋，我……当年我要是对水儿她娘好点，对水儿好点，哪会有今天。这都怪我，都怪我，是我鬼迷心窍，是我对不起水儿，对不起水儿她娘……巴校长，你是水儿的领导，我求你劝劝水儿，让她管我叫一声爹，哪怕只叫一声，巴校长，行吗？"

巴振华的心一动，贾奎泰让我策反守城的伪军，现在王富贵这个大伪军就在眼前，如果要能策反他，那作用不是更大吗？

巴振华马上答应："行，我一定好好劝水儿。"巴振华话题一转，"参座……"

巴振华刚要往下说，"当当当"，放学的钟声响了，学生背着书包走出教室。

水儿擦去黑板上的字，又简单地收拾一下教案，然后出了教室。她拿起锁头，"咔嚓"锁上了教室的门。

王富贵急不可待，他出了巴振华的办公室，追上水儿："水儿，水儿，爹来看你了。"

水儿的脸像下了一层霜，她看也不看王富贵，而是绕过王富贵转向自己的宿舍，回手刚要关门，王富贵伸进一条腿："水儿，让爹进去，爹跟你说几句话。"

水儿怒斥："出去！我不认识你。"

王富贵满脸赔笑："水儿，我是你爹呀！怎么能说不认我呢？爹来看你，爹给你带来很多首饰……"

王富贵一挥手，苏连鹏拎着皮箱跑了过来。

苏连鹏捧着皮箱，王富贵打开："水儿，你看，你看，这都是爹给你的……"

王富贵一缩脚，"咣"，宿舍的门重重地关上了，"咔嚓"一声，水儿从里面插上了门。

"水儿，水儿……"

屋里的水儿背靠着门，泪水无声地流着。无论王富贵怎么叫，水儿就是不开门。

巴振华想劝王富贵，可一时又找不到合适的语言。王富贵强忍着眼泪对巴振华，又似告状，又似求援地说："巴校长，你看，你看这孩子……"

巴振华道："参座，让我试试。"巴振华上前敲门，"水儿老师，把门打开，外面这么冷，让参座进去，有话好说啊。"

屋里，大颗大颗的泪珠在水儿胸前滚落，水儿咬着嘴唇，一语不发。无论巴振华说什么，都听不到水儿的回应。

见王富贵痛苦的表情，巴振华的心也很难受："参座，要不你先回去，我再好好劝劝水儿。"

王富贵无奈地摇了摇头，他带着哭腔说："那好吧，巴校长，你把这箱子交给水儿，也算是我这个当爹的一点心意。"

王富贵话音刚落，门开了，水儿狠狠地说："我就是沿街乞讨，也不要你的东西，把你的东西统统拿走！"

王富贵似哭非哭，似笑非笑："孩子，那你要什么，只要爹能给的，你只管说，除了天上的太阳爹够不着，剩下的什么都行。"

水儿吼道："我要我娘！你能给吗？"

王富贵脑袋像被人打了一闷棍，他眼前发黑，两腿发软，趔趄地退了几步，苏连鹏及时扶住他："参座，参座，你没事吧？"

水儿一字一顿地说："请你记住了，我永远都不想见你！"

"咣"，门又重重地关上了，传出"咔嚓"插门声。

水儿往炕上一趴，泣不成声。

苏连鹏搀着王富贵走出包头召，两个人上了吉普车，吉普车疾驰而去。

冬天的包头，天黑得很早。不知不觉，太阳落山了，晚霞把这座城染成了血红色。

夜里，巴振华躺在炕上翻来覆去睡不着，水儿这般对待王富贵，说明她对王富贵仇视到了极点。要通过水儿策反王富贵，是不是对水儿太残酷了？不行，水儿心里的伤疤一碰就流血，我不能再给她增加痛苦了。可是，除了王富贵还能策反谁呢？巴振华猛然醒悟，对呀！这个人有情有义，我为什么不从他身上下功夫？

第十七章

离傅作义部攻城不到八个小时，贾奎泰早就出城了，再找贾奎泰已经不可能。怎么能把情报送出去呢？谁能把情报送出去呢？他！他跟国共两党都有联系，情况如此紧急，看来还得用他！

今天的包头市东河区和平路原名叫富三元巷。这是一条宽阔的马路，这条街北与西门大街相连，南抵南城门。在富三元巷中段有条东西走向的巷子叫涂师爷巷。涂师爷巷口有个高大的门楼，那是当时的包头饭店。

巴振华在包头饭店摆上一桌丰盛的酒席，他把苏连鹏约到饭店，两个人推杯换盏喝了起来。

苏连鹏一直不能忘记巴锦秀，几句话之后，苏连鹏问："秀儿好吗？"

这是巴振华意料之中的，他含糊地应道："还行。"

苏连鹏又道："秀儿现在在哪儿？"

巴振华道："在南边。"

苏连鹏为之一振，他拇指和食指成"八"手势，这个手势代表的是八路军："难道秀儿是这个？"

苏连鹏江湖习气很重，如果不给他一个准确答复很难取信于他，巴振华点了点头："当着真人不说假话，秀儿就是这个。"

苏连鹏猛地喝了一口酒，赞叹地说："还是秀儿啊，站得高，看得远，不像我，我是一步错，步步错。"

巴振华试探地说："三哥，你这不也挺好吗？"

苏连鹏未曾说话先叹了口气："可不是好，都好过头了！"

巴振华给苏连鹏满上酒，苏连鹏端起就干。巴振华连给他倒了三盅，苏连鹏都干了，巴振华不再给苏连鹏倒了，他说："三哥，你和秀儿是结拜兄妹，生死之交；我是秀儿的亲哥哥，咱们不是外人，你要是有什么不痛快的事说出来，就算小弟帮不上你，说出来也舒坦一些。"

苏连鹏一摆手："不提了，还是说秀儿吧，秀儿孩子多大了？"

巴振华摇了摇头。

苏连鹏一怔："怎么？秀儿没孩子？"

巴振华沉重地道："秀儿前夫被日本人枪杀，到现在也没再嫁。"

两个人都沉默了。

良久，苏连鹏又道："秀儿是在延安吗？"

巴振华神色凝重："是。"

苏连鹏眼中放出一道光："振华兄弟，我能不能去投秀儿？"

延安是共产党八路军的总部，巴振华连共产党都不是，他怎么回答呢？巴振华有意套苏连鹏的话："你混得这么好，去那儿干啥？"

苏连鹏脸沉了下来："振华兄弟，你不是在损我吧？"

巴振华摆了摆手："三哥为人仗义，侠肝义胆，我怎么能损三哥呢！"

苏连鹏给巴振华和自己分别倒了一盅酒，两个人碰了一下，一饮而尽，苏连鹏道："你也知道，三哥我原是哥老会的三堂主，哥老会的宗旨是反清复明。可是，清朝灭了，小日本却来了。咱们都是中国人，凭什么让日本人在咱们的国土上横行霸道？"

巴振华觉得火候差不多了，他问："那三哥有什么打算？"

苏连鹏盯着巴振华："我想了两条路，要么我去南边找秀儿，要么我拉绺子再跟小鬼子死磕。我虽然做不了精忠报国的岳飞，但绝不做卖国求荣的秦桧！"

巴振华一挑大拇指："三哥，我没看错人！"

苏连鹏一拍胸脯："秀儿一介女流都敢跟小日本玩儿命，我堂堂的五尺男儿，岂能给日本人当狗！"

巴振华站起身走到门前，他把门拉紧，然后紧挨着苏连鹏坐下，两个人头撞着头，巴振华说："三哥，有一件精忠报国的事，你干不干？"

苏连鹏的眉毛动了两下："只要是为国尽忠，三哥义不容辞！你说吧。"

巴振华目光如炬："打开城门，放傅作义将军部队进城。"

苏连鹏一把攥住巴振华的手："你是傅将军的人？还是老八的人？"

巴振华声音铿锵有力："我是中国人！"

一句话说了到苏连鹏的心里："高！实在是高！不管傅将军，还是老八，都是咱们中国人！"

苏连鹏有个哥老会的兄弟是伪军连长，他把守包头东北门，这个兄弟也不想给日本人卖命，苏连鹏跟他一说，他当即答应放傅作义部队进城。

1939 年 12 月 18 日下午，巴振华在包头召小学校长办公室里坐立不宁，他手翻着学生的作业本，心却飞到了城外。按照计划，19 日凌晨傅作义的部队就要攻城，苏连鹏的那个兄弟能打开东北门吗？不会出现纰漏吧？……

巴振华心不在焉，突然，传来急促的"梆梆梆"敲门声，巴振华的心一下子提到了嗓子眼儿："谁？"

"我。"外面的声音不高。

巴振华一时没听出对方是谁，他刚一开门，"噌"，一个头戴破狗皮帽子，身着开花大棉袄，腰间系着草绳，形似要饭的人蹿进屋中。

巴振华问："你找谁？"

"要饭的"随手关紧门，他摘下破狗皮帽子："振华兄弟，是我。"

巴振华这才看清，原来是苏连鹏，他愕然地问："三哥，你怎么来了？"

尽管天气很冷，可苏连鹏的鼻子尖上还是渗出了汗珠："振华兄弟，本来我的那个兄弟把守东北城门，可是，上午突然接到命令，他的连队被换到了西北城门。"

巴振华的心一颤："难道我们的计划泄露了？"

苏连鹏盯着巴振华："我这个兄弟绝对可靠，你那方面没问题吧？"

三天前，巴振华亲自把这一情况告诉给贾奎泰，贾奎泰多年从事情报工作，而且，这次策反是他亲自安排的，贾奎泰肯定不会出问题！

想到这，巴振华深深地点点头："没问题！"

苏连鹏急切地说："那就好。我也在想，如果计划泄露，他们肯定会把我抓起来。振华兄弟，事关重大，必须要及时把这个情报送给傅将军。记住，改东北门为西北门，接头暗号不变。"

巴振华道："放心吧，我记住了，三哥。"

桌子上放着巴振华的茶碗，里面的茶尚有余温，苏连鹏抓起茶碗，"咕嘟咕嘟"喝了个精光。苏连鹏抹了一把嘴："振华兄弟，三哥得赶紧回去，万一被日伪特务发现就麻烦了。"

苏连鹏匆匆而去。

巴振华看了看墙上的挂钟，现在是下午四点二十分，离傅作义部攻城不到八个小时，贾奎泰早就出城了，再找贾奎泰已经不可能。怎么能把情报送出去呢？谁能把情报送出去呢？他！他跟国共两党都有联系，情况如此紧急，看来还得用他！

巴振华从笔记本上扯下二指宽的纸条，又从中间撕为两半，他在纸条上写下几个字：

情况突变，改东北门为西北门。

巴振华把纸条叠好，然后，站起身从木柜后拿出一条扁担，拇指指甲在扁担头下方一抠，一块木片掉了下来，一个浅浅的小槽出现了。巴振华把纸条放入槽中，又把木片安在扁担头上，扁担完好如初。

巴振华推开门，见宝力格喇嘛挑着水走进西跨院，巴振华远远地喊："宝大师，我的缸都见底了，这挑水是给我的吧？"

"是。"宝力格喇嘛答应一声，把水挑进巴振华的办公室。

宝力格喇嘛放下水桶，扁担立在墙上。他打开水缸盖，见还有半缸水，宝力格喇嘛的眉头微微一动，他提起一桶水倒进缸中，第二桶倒了大半，缸就满了。巴振华只得端过脸盆，宝力格喇嘛把剩下的水倒入脸盆里。

巴振华双手握着自己的那条扁担，郑重地说："大师，十万火急！"

说着，双手把扁担往前一递，宝力格喇嘛接过扁担："明白！"

宝力格喇嘛用这条扁担挑起空桶，出了巴振华的办公室。

宝力格喇嘛走远了，巴振华关上门，他抚摸着宝力格喇嘛留下的扁担，扁担似乎很热，仿佛还有这位出家人的体温。

宝力格喇嘛来到东门楼下，一个伪军阻拦道："宝大师，别挑了，天要黑了，一会儿就关城门了。"

宝力格喇嘛赔笑："就挑这一挑，就挑这一挑。"

伪军一摆手："那你可快点，关到城外我们可不管。"

宝力格喇嘛诺诺道："好，好，好……"

晚霞西照，百鸟归林，转龙藏挑水的人还很多。宝力格喇嘛来到龙头前，把扁担立在一棵大树上，他向周围张望着。前面挑水的人都走了，轮到了宝力格喇嘛，后面的人催促道："宝大师，到你了。"

宝力格喇嘛这才拎着桶来到龙头下，两桶水都接满了，回过头来，见自己的扁担还立在树上。宝力格喇嘛把两桶水拎到扁担前，他坐在旁边的木墩上若有所思。

一个驼背的人挑着空桶走来。驼背人把自己的扁担立在宝力格喇嘛扁担旁边，驼背人接了两桶水，拿起宝力格喇嘛的那条扁担挑起水走了。宝力格喇嘛脸上露出了轻松的表情，他站起身，用驼背人的扁担挑起了水。

1939年12月19日凌晨，傅作义的部队集结在包头城外。

时近冬至，寒风刺骨，下弦月像一张拉开的弓，又像一把出鞘的刀。突然，城下有个光柱连闪三下。城上的哨兵手扶垛口一看，下面黑压压的全是人。哨兵立刻跑到一个伪军军官面前，他低声说："连长，来了！"

伪军连长没有说话，他朝苏连鹏点点头，苏连鹏迈大步来到垛口。

苏连鹏向下面问："什么人？"

下面答："中国人。"

"中国人为什么蹲墙根儿？"

"因为家没了。"

"你们蹲墙根儿不怕我们开枪吗？"

"不怕。"

"为什么？"

"中国人不打中国人。"

暗号全对上了，苏连鹏大喜，他向下面叫道："国军弟兄们，上！快上！"

傅作义部官兵如蚂蚁一般顺着云梯往上爬，眨眼之间上来十多人。苏连鹏和伪军连长带着这十几个人下了马道，奔向城门。

城门旁有个守卫室，苏连鹏和伪军连长等人还没到守卫室，就被日军暗哨发现了。日军暗哨用日语问了一句什么，苏连鹏看伪军连长，伪军连长看苏连鹏，两个人明白，对方在问他们口令，可两个人既不懂日语，也不知日军口令。

既然是暗哨，当然不在明处。苏连鹏和伪军连长两个人摸索前行，"啪"的一声枪响，伪军连长头上蹿出一股鲜血，身子倒了下来。

苏连鹏和傅作义部十几支枪同时向枪响的地方射击。

枪声大作，守卫室里传出一阵"叽哩呱啦"的日语，接着，几个日本兵由屋内往外冲。日军出来一个死一个，出来两个死一双，不多时，守卫室里没动静了。

傅作义部队相继从城上下来，苏连鹏带着他们打开城门，西北门外的傅作义部潮水般涌入城中。包头城内各据点的日伪军被分割包围，一些日军还在梦中，就一命呜呼了。

天蒙蒙亮，包头的五个城门全部被傅作义部控制，大队人马从各个街道杀向日军司令部。

"二战"期间，侵华日军的最高机关是关东军总司令部，关东军总司令部下辖若干师团。一个师团总兵力20000—30000人，人数相当于国民革命军的两个军。师团长（司令）基准军衔中将，一个师团下辖三个旅团。

一个旅团7000—9000人，人数相当于国民革命军一个师。旅团长（司令）基准军衔少将，一个旅团下辖三个联队。

一个联队 3000 人左右，人数相当于国民革命军一个旅。联队长（司令）基准军衔大佐，大佐比国民革命军的上校高，比少将低，一个联队下辖三个大队。

一个大队 800－1000 人，人数相当于国民革命军一个团，大队长基准军衔中佐，下辖若干中队。

一个中队 100－300 人，相当于国民革命军一个营，中队长少佐，下辖若干小队。

一个小队 50 人左右，小队长军衔中尉或大尉（上尉），下辖几个军曹。

当时，日军每 10 人配备一挺轻机枪，甚至还配备 50 毫米掷弹筒。而傅作义部队，一个连才配一挺轻机枪，掷弹筒想都不敢想。可见，双方武器装备的差距有多大。

驻包头的日军司令部有两个联队，共 6000 人左右。此外，城内还有日军宪兵队、守备队，以及王英的一个伪军师。日伪军出动坦克，以强大火力阻止傅作义部进攻。

傅作义部人人奋勇，个个争先，包头城内枪声、炮声、手榴弹声交织在一起，战斗异常激烈。

天亮之后，一些百姓得知中国军队攻入城中，人们纷纷送水送饭，指引道路，傅作义部士气更加高涨。日军司令小岛藏吉一方面向上级求援，一方面命令小林一男和小原一明两个联队长拼死抵抗。

21 日晚，包头城区除了日军司令部，全部被傅作义部占领，双方处于胶着状态。

包头是日军西部的辎重基地，傅作义部进攻包头惊动了关东军总司令部。虽然萨拉齐、五原和固阳三县的日伪军被傅作义部阻击在外，但归绥、大同、张家口等地的日伪军纷纷出动，急速开往包头。

傅作义将军审时度势，下令撤出包头。

包头战役历时 3 天 4 夜，日军小林一男和小原一明两个联队长中弹而亡，3000 余名日伪军被击毙，1 名伪团长及数百名伪军被俘。傅作义部击毁日伪军汽车 100 多辆，坦克 3 辆，炸毁军火库 1 座，缴获各种武器、军需品无数。

傅作义部伤亡及失踪 2794 人。

小岛藏吉气急败坏，他下令全城抓捕给傅作义部送水送饭的人。一时间，城内从早到晚，到处都是警笛声，包头陷入一片恐怖之中。

郝香香匆匆来到包头召小学，她推门进入巴振华的办公室，巴振华的心一紧："四婶，你怎么来了？"

郝香香多年礼佛，不能说泰山崩于前而不惊，但遇事很少慌乱，可今天却变了："振华，大事不好了，日本人把水儿姥爷麻信抓走了！"

话音刚落，水儿闯了进来："四奶奶，你说什么？"

第十八章

　　巴振华搀着水儿进了上房。上房的蜡烛燃着，烛光把屋里照得一片殷红，烛泪一滴滴流着，在桌上凝聚成坨。炕上已经铺好了被褥，巴振华伸手摸了摸，还挺热乎。水儿刚要上炕，突然，身影一晃，一个女子走了进来。

　　傅作义部攻入包头，麻信带着伙计给部队送茶水、送馒头，致使麻家及皮毛店被抄，麻信被抓。

　　麻信本有一儿一女，女儿叫麻鹃，儿子叫麻崇德。麻信和妻子生孩子较晚，两个孩子年龄相差也较大，生麻崇德时麻鹃都十一岁了。麻信夫妻老来得子，两口子把小崇德含在嘴里怕化了，捧在手里怕摔了。然而，万万没想到，小崇德三岁时遭人绑票，麻信带着重金去赎儿子，可是，人财两空，不但没赎回儿子，钱也被人骗走了。麻信妻子急火攻心，一病不起，临死的时候还在念着儿子麻崇德的名字。

　　这么多年来，麻信一直没有放弃寻找儿子，但毫无消息。

　　麻鹃死后，水儿成了麻信的心灵寄托。水儿对姥爷十分孝顺，每到休息的时候，水儿总是回到姥爷身边，帮姥爷收拾家务，给姥爷炒几道菜。得知姥爷被抓，水儿心如油烹。

　　巴振华劝道："水儿，不要着急，我和你一起去。"

巴振华和水儿出了包头召大门，两个人想找辆人力车，可街上到处都是日伪军和伪警察，一辆车也找不到。没办法，两个人只得徒步而行。

麻家的广盛西皮毛店位于财神庙二道巷和三道巷之间，商号坐西朝东，面向九江口。皮毛店九间大房，中间开门，左右各有八扇窗户，窗框的油漆闪闪发光。然而，商号的门敞着，货架空空，屋内桌子也倒了，柜台也翻了，一片狼藉。

紧临皮毛店的南侧是财神庙三道巷。进入巷子，有座高大的石门楼，石门楼下是一丈多高、八尺多宽的拱门，拱门两侧是两排拴马石。门前停着一辆吉普车，两旁站着伪军，不远处还有一群伪警察。拱门洞开，院内斑斑点点，结着鲜红色的血冰。

院里上房的窗玻璃打破了好几块，屋中电灯亮着，桌前坐着王富贵，对面站着一个伪警察。王富贵正襟危坐，对面的伪警察虽然没有王富贵的派头，但并不正眼看他。

王富贵对伪警察道："二弟，这些年你挺好吧……"

伪警察打断王富贵的话："谁是你二弟？我早就和你恩断义绝了，我现在是警长冯来福！"

王富贵有些尴尬，他从衣袋里掏出一个烟盒，从里面取出一支烟，刚要往嘴上叼，却又移开了。王富贵把这支烟递向冯来福，冯来福没接。冯来福自己也拿出一个烟盒，他的烟盒不及王富贵的精致。冯来福没理王富贵，他自己给自己点着了。

王富贵向冯来福打了个手势："冯警长，坐，请坐。"

冯来福慢慢地坐下了。

王富贵吐出一口烟："当年，咱们七兄弟，他们五个都不在了，现在只剩你我二人。咱们的兄弟情义，我一直记在心里。"

冯来福冷冷地说："我也一直记在心里。"

王富贵脸上露出笑容："这就对了嘛！"

冯来福没有笑，他身子往前探了探，两个人的目光不到一尺，冯来福的话仿佛是从牙缝里挤出来的："我一直记在心里的是你偷了我老婆，你害得我家破人亡！嘿嘿，呵呵，哈哈，哈哈哈哈……"

冯来福表情复杂，声音怪异，不知他是在笑，还是在哭。

王富贵的脸由白而红，由红而白，他"啪"地一拍桌子："你胡说……"但王富贵明显底气不足。

冯来福也是一拍桌子，他的声音远比王富贵高得多："你伤天害理，我永远也忘不了！"

王富贵猛抽了几口烟，试图转移话题："你也知道，麻信是我的外父，老人只有麻鹊一个女儿，我是他的女婿，一个女婿半个儿，他的家，于公于私都应该由我来接管。"

冯来福吐了个烟圈，嗤笑："你怎么娶的麻鹊，别人不知道，难道我不知道吗？"

王富贵的手有点发抖："是，二弟你也没少为我出力。可是，大哥也没亏待你。"

冯来福嘲讽地说："你是没亏待我，你还帮我娶了媳妇呢……"

王富贵不想让冯来福往下说，他马上打断冯来福："可是，你不能否认麻鹊是我的结发妻子。"

冯来福冷嘲热讽："我没有否定麻鹊是你的结发妻子，也没否定麻崇德是你小舅子。"

王富贵的烟烧到了手指，他身子一颤，烟头掉在地上，王富贵道："你翻这些旧账有意思吗？"

冯来福把烟头一摔，气势压着王富贵一头："没意思！但我只想接管麻家。"

王富贵喝问："你想要麻家的家产？"

冯来福针锋相对："难道你不是为了麻家家产吗？"

王富贵声音提高了："我是麻家的女婿！麻家没有人了，财产理应由我继承！"

冯来福挑衅地看着王富贵："麻信还没死，就算他死了，你还有个小舅子麻崇德呢！"

王富贵脸色苍白："他早就死了。"

冯来福嘿嘿一笑："你是盼着麻崇德死吧？我告诉你，麻崇德活得很好。"

王富贵的心提了起来："什么？他在哪儿？"

冯来福又是一声冷笑："怎么，想杀人灭口吗？"

就在这时，外面传来一个女子的叫嚷声："放我进去！这是我家！放我进去！"

王富贵听出了水儿的声音，他一下子站了起来，几步蹿到屋外。

大门前，几个伪军正横枪拦阻水儿和巴振华。

王富贵对伪军喝道："住手！"

伪军收起枪，水儿和巴振华小跑进入院中。

王富贵讨好地笑着："水儿，你来了。"

水儿看也不看王富贵，她和巴振华径直奔向上房。

"姥爷！姥爷！姥爷！……"水儿呼唤不止。

水儿找不到麻信，一把抓住王富贵的衣服："说！你把我姥爷怎么了？"

王富贵惊慌失措，他一向剽悍的神情软弱得如一只绵羊："没，没有……水儿，我没有……"

冯来福却笑了，笑得很开心："你是水儿吧？你娘叫麻鹊，对吧？"

水儿问冯来福："你是谁？"

冯来福道："敝人冯来福，曾和你爹拜过把子，不过，现在不是了。当年，我还是你娘和你爹的证婚人呢！"

本来水儿就不认王富贵这个爹，听他这么说，水儿理也不理他，又质问王富贵："我姥爷在哪儿？我姥爷到底在哪儿？"

冯来福哈哈大笑："好！报应！报应来了！哈哈哈……"

巴振华忙上前相劝："水儿，放开放开，有话好好说。"

水儿放开了手。

王富贵稳了稳神，他走到冯来福近前，压低声音说："水儿也算是麻家的骨血，麻家的财产理应由水儿继承。过去的事是我对不起你，你说个数，你要多少钱？我给你！"

冯来福挺了挺腰："既然你这么说，那我可就不客气了。"冯来福五指张开，在王富贵面前一晃，王富贵问："五千？"

冯来福很是不屑："后面再加个零。"

王富贵的脸僵硬得像块铁："什么？五万！"

冯来福鼻子哼了一声："怎么？舍不得了？五万我都要少了，这些年，连本带利，你欠我的何止五万？"冯来福望着水儿，"要么，咱们让水儿给评评理？"

王富贵立刻软了下来："得得得，我答应，我答应，七天后，我一定奉上。"

冯来福弦外有音："有水儿作证，我什么都不怕。"说着，冯来福扬长而去，身后留下一串既得意而又悲凉的笑声。

水儿不知道王富贵和冯来福打什么哑谜，她急于见到姥爷，对王富贵吼道："你把我姥爷抓哪儿去了？说！你说！你说呀！"

王富贵一副无辜的样子："水儿，爹真没抓你姥爷……"

水儿歇斯底里地大叫："你不是我爹！我爹早死了！"

王富贵表情十分痛苦："孩子，这都是日本人干的，是日本人，不是……"王富贵想说"不是爹"，可望着水儿喷火的目光，他把"爹"变成了"我"，他说，"不是我。"

水儿不依不饶："就是你！就是你！你还我姥爷！"

王富贵顺从地说："行，我这就去找日本人。"

巴振华和水儿坐上了王富贵的吉普车，三个人来到日军宪兵队。

宪兵是一个国家的特殊部队。宪兵的任务不是与敌人作战，其职能是维系军纪，约束军人的行为举止，处理军队中的各种刑事案件。不过，"二战"时期的日本宪兵，把镇压抗日分子作为一项重要职能。

日军宪兵队的驻地在富三元巷中段，那里有个拱形大门，拱门的上方有块用花岗岩雕成的牌匾，匾上刻有三个大字"安仁里"。安仁里四周都是一丈高的围墙，围墙的四角设有岗楼，岗楼中有日军宪兵放哨。

宪兵队大门前摆着一副木架子，用以阻挡车辆和行人，两个荷枪实弹的日本宪兵一左一右地站在木架两侧。

王富贵的吉普车被拦了下来，一个日本宪兵道："你的，什么的干活?"

王富贵走下车,赔着笑脸:"太君,我的,绥西自治联军参谋长王富贵的干活。"说着,把证件递了过去。

日军宪兵看过王富贵的证件,又要查水儿和巴振华的证件。水儿和巴振华无证,日军宪兵不准二人进院。王富贵好话说了一大堆也不管用,他只得一人进了大院。过了大约半个小时,日本宪兵队副队长冈本虎雄跟着王富贵出来了。

冈本虎雄非常喜欢收藏,王富贵投其所好,给他送了不少珍奇古玩。

两个宪兵向冈本虎雄立正敬礼,王富贵这才把水儿和巴振华带了进去。

冈本虎雄安排另一个日军宪兵带路,王富贵、水儿和巴振华三人拐了几个弯,来到后面的监狱。

宪兵打开牢门,牢内牢外几乎是一个温度。冷还是其次,里面的气味实在是太难闻了,水儿和巴振华被呛了个趔趄,两个人都要窒息了。两个人往里一看,见地上有一堆枯草,枯草上佝偻着一个老人,老人头上身上结成片片血痂,两只脚光着,脚踝上鲜血淋漓,地上的血和枯草冻在一起。

水儿低头看了半天才认出来:"姥爷!"水儿在草中找来麻信的鞋,给老人穿上,她跪在麻信身边,失声痛哭。

巴振华也俯下身,水儿和巴振华连唤数声,麻信才醒过来。

水儿止住哭声:"姥爷,我是水儿,你还认识我吗?"

巴振华也说:"麻大叔,你怎么样?"

麻信有气无力:"振华,水儿,你们,你们不是也被鬼子抓进来的吧?"

巴振华和水儿摇头,两个人不由自主地回头看王富贵。王富贵站在牢门口抽烟,试图以烟来驱赶牢中的气味。

麻信转过头,一见王富贵,老人顿时咳嗽起来。水儿把姥爷抱在怀里,她想给姥爷抚胸止咳,可老人胸前都是血冰,根本无从下手。

麻信两眼怒视王富贵,声音颤抖:"你滚!你给我滚……"麻信一口血喷了出来。

王富贵巴不得远离牢房，他往外迈出了五六步。

水儿掏出手绢擦去麻信嘴角边的血迹，麻信两眼呆滞，断断续续地说："水儿，姥爷不行了，不能照顾你……"

水儿泪落如雨："姥爷，你不会的，我救你出去，我们这就出去……"

麻信轻轻地摇了摇头："没用了。"麻信的目光像两团火，他对巴振华说："振华，麻大叔要走了，大叔的儿子麻崇德三岁时被人绑架，大叔找了这么多年，看来是没有指望了。水儿是大叔唯一的亲人，大叔不放心这孩子……"麻信深情地望着巴振华，"大叔把水儿交给你，你就收她当个干女儿吧！"

巴振华握着麻信的手，麻信的手如冰一般："麻大叔，你放心，从现在起，水儿就是我的亲女儿！"

麻信对水儿说："孩子，给你爹磕头。"

水儿跪在巴振华面前，连磕了三个头："爹……"

一听水儿叫巴振华"爹"，王富贵不由得向牢门走了两步，他眼中闪出酸楚的泪花，我明明是水儿的亲爹，可这孩子不叫我"爹"，却管别人叫"爹"，这不是拿刀子扎我的心吗?!

麻信脸上绽开了笑容，但片刻笑容就凝固了。麻信头一歪，慢慢地闭上了眼睛。

"姥爷——"

"麻大叔——"

广盛西皮毛店和麻家大院都挂起了白色灯笼，一口大棺材停在麻家院中。前来吊丧的人一拨又一拨。水儿在棺材前烧着纸钱，她眼睛红肿，声音沙哑。

巴振华里里外外地忙碌着，左邻右舍以及麻信的亲朋好友也都过来帮忙。

夜已经深了，大门前的白灯笼在地上洒了一层霜。

巴振华把水儿搀了起来："水儿，人死不能复生，你就节哀吧，一旦哭坏了身子，你九泉之下的姥爷不知要多么心疼。"

巴振华搀着水儿进了上房。上房的蜡烛燃着，烛光把屋里照得一片殷红，烛泪一滴滴流着，在桌上凝聚成坨。炕上已经铺好了被褥，巴振华伸手摸了摸，还挺热乎。水儿刚要上炕，突然，身影一晃，一个女子走了进来。

巴振华不禁道："秀儿！"

水儿也是一惊："姑姑！"

以前，水儿就和巴锦秀十分投缘，现在巴振华成了水儿的义父，巴锦秀也就相应地成了水儿的义姑。巴锦秀对水儿既怜悯，又疼爱，她把水儿搂在怀里。

又多了一个亲人，水儿泪水止不住又掉了下来。

巴锦秀安慰道："孩子，你姥爷死得太惨了，我们不能让老人家白死，我们要让日本鬼子血债血还！"

水儿仰起头，眼中燃起仇恨的火焰："姑姑，我知道你是抗日英雄，你带我走吧！"

巴锦秀拍了拍水儿的肩："孩子，你重孝在身，而且，麻家这么大的家业还得由你掌管。"巴锦秀婉言拒绝了水儿。

巴振华悄悄地问："秀儿，你从哪儿来？"

巴锦秀轻轻地说："延安。"

在简单的交谈中，巴振华发现妹妹仿佛变了一个人。当年的秀儿江湖义气十足，遇事常常沉不住气，可现在的秀儿一言一行、一举一动都是那么沉着，那么冷静。人们都说延安是革命的熔炉，果然不假。

巴振华又问："是不是有新的任务？"

巴锦秀坚定地说："是。"

巴振华又问："什么任务？"

巴锦秀拳头往下一砸："打鬼子！"

水儿激动起来："姑姑，我也要打鬼子！"

巴锦秀注视着水儿："孩子，你有一项更重要的任务……"

第十九章

　　这批棉衣关系到百余名游击队战士的生命，他们是革命的火种，是抗日的火种，不能让这些火种熄灭啊！巴锦秀只得来找水儿。

　　傅作义将军攻打包头之时，包头地下党组织搞到了鬼子一批武器，可是，想了许多办法，一直没有运出城。

　　天色昏暗，西风呜咽，乌鸦在树上"呱呱"哀鸣。水儿头戴麻冠，身披麻衣，一手举着引魂幡，一手向空中撒着纸钱，二十四个人抬着棺材紧随其后。棺材后是唢呐手，几个唢呐手吹着悲凉的曲子。唢呐手后面是十几辆牛车，每辆牛车上载着纸人、纸马、纸屋。牛车后面是马车，每辆马车都拉着又宽又长的箱子。马车后面是和尚、道士，他们或是举着降魔杵，或是手持避邪剑。再往后是巴振华、巴锦秀，以及送葬的男男女女。

　　出殡的队伍缓缓地走到西城门，一个日军带着一队伪军拦在前面。

　　这个日军来到水儿面前蛮横地问："什么人的，死了?"

　　巴振华跑了过来，他把水儿挡在身后："太君，是广盛西皮毛店的老板麻信麻先生走了。"

　　日军喝问："怎么的，这么多人?"

　　一个伪军小队长上前："报告太君，广盛西老板麻信是包头城内数一数二的富户，他的葬礼隆重一些也在情理之中。"

日军问巴振华："麻的，怎么的死了？"

巴振华和水儿愤愤地看着日军，谁也没说话。伪军小队长向日军点头哈腰："麻信因为给傅作义部队送茶送饭，是被宪兵队抓进监狱打死的。"

日军诡异地说："嗯，哟西！"

日军带着伪军小队长查看出殡队伍的每一个人。人们低着头，个个脸上挂着泪痕。日军把每辆牛车上的纸人、纸马、纸屋看了一遍，有的透过裱糊的缝隙能看到里面，有的看不到。看不到的，日军用佩刀划开口子往里看，然而，里面什么也没有。

日军又盯上了马车上的箱子，他眯起眼睛，露出几分得意之色，对伪军小队长吩咐道："你的，上车的，检查！"

小队长一咧嘴，心说，让我检查这些死人的东西，这多丧气呀！尽管他十二分不愿意，但不敢不执行……小队长灵机一动，我是小队长，大小也是个头，我手下不是还有这么多弟兄嘛。伪军小队长对众伪军一挥手："上车检查！"

几个伪军跳上马车，要打开车上的箱子，水儿大叫："不能开箱子！"

日军拽出佩刀，刀尖顶在水儿胸前："里面的，枪支弹药的有？"

巴锦秀忙上前拉开水儿："他们不怕丧气，就让他们查吧。"

水儿看着巴锦秀，见巴锦秀面有忧伤，但表情很坦然。巴锦秀如此自信，水儿也不再说话了。然而，一旁巴振华的心却悬了起来。

伪军也怕染上晦气，不想翻动死人的东西，一个伪军对巴振华说："你们上去，把箱子里的东西都拿出来。"

日军对伪军一瞪眼，喝道："你们的，上去，亲手的检查！"

几个伪军不得不上车，手在里面翻了翻，不多时就各自下来了——

"报告太君，这箱子是书籍。"

"报告太君，这箱子是字画。"

"报告太君，这箱子是衣服……"

日军并不相信，他跳上车，每个箱子看了一遍，果然没有可疑之物。

日军皱了皱眉，眼睛又盯上了棺材，他来到棺材前，围着棺材转了两圈，狡黠地对伪军小队长说："你的，把棺材的打开!"

伪军小队长瞠目结舌："开棺?"

日军正颜厉色："开棺的，必须!"

开棺材与开箱子不同，箱子里只是逝者的一些随葬品，可棺材里却是逝者的尸体。中国人把尸体放入棺材里叫入殓，一旦入殓，就要把棺材盖钉死。开棺不仅是对死者的大不敬，开棺人也是十分忌讳。

水儿大叫："不能开棺!"

巴振华的汗也下来了："难道死人你们也不放过吗?"

抬棺材的二十几人异口同声："不能开棺! 不能开棺!"

人们越不让开棺，这个日军越要开。日军一挥手，"不让开棺的，统统地死了死了的!"

巴锦秀对水儿摆了摆手："他们不怕逝者索命，就让他们开吧。"

水儿和巴振华都知道出殡队伍中藏有枪支弹药，只是不知巴锦秀藏到了什么地方。纸人、纸马、纸屋都检查了，箱子也检查了，巴锦秀还能把枪支弹药藏在哪儿? 只有棺材。一旦开棺，那不就被日伪军发现了吗?

可是，巴锦秀脸色平静如水，看不出一丝紧张。事已至此，不让开棺鬼子肯定不会答应。水儿和巴振华的心怦怦直跳。

伪军找来撬棍，撬开棺材盖。

棺材中的麻信已经整了容，老人穿着一身崭新的黑色寿衣，手里拿着打狗棒，安详地躺在里面，什么可疑的东西也没有。伪军向那个日军报告，鬼子仍不相信，他来到棺材前往里看了又看，毫无破绽。

日军失望地挥了挥手，人们把棺材重新钉好。送葬的队伍出了西城门，拐进大青山。

早有人挖好了墓穴，人们把麻信的棺材慢慢地放入墓穴之中，填土掩埋。水儿跪在墓前，烧着纸人、纸马、纸屋。

巴振华来到巴锦秀身边："秀儿，武器带出来了吗?"

巴锦秀理了理头发，她没有回答，而是向抬棺材的人点了点头，众人钻到牛车、马车车底，把几十个又扁又宽的木箱卸了下来。打开木箱，里面全是枪支弹药，人们长长地出了一口气。

一场秋雨一场寒,天又阴又冷。下午,半日制的包头召小学放学了,水儿回到自己的宿舍,她披上大衣,打开学生的作业本,刚批改了两本,外面传来敲门声,水儿问:"谁呀?"

"我。"

水儿打开门,见冯来福身着警服,腰里挎着枪,站在门前。

水儿沉着脸:"你找谁?"

冯来福微笑:"我找你,水儿。"

水儿知道冯来福和王富贵曾经结拜,但不知两个人之间的仇怨。爱屋及乌,同样,恨屋也及乌,水儿口气生硬:"我忙着呢,没空!"说着就要关门。

冯来福手扒着门:"我想告诉你一件事。"

水儿道:"我不想听!"

冯来福道:"是关于你舅舅麻崇德的事。你舅舅三岁失踪,你姥爷、姥姥找了一辈子,你不想对他们有个交代吗?"

一句话说到了水儿的心上。是啊,姥爷、姥姥生前不止一次说起舅舅,每次提到舅舅,姥爷、姥姥都是老泪纵横。

水儿把冯来福放了进来。

当年的包头有句顺口溜:"三公六札萨,不抵一达拉"。札萨即蒙古语札萨克,札萨克本意是执政官。清朝时,有世袭爵位的蒙古旗叫札萨克旗,旗长通常由王爷兼任。达拉,就是达拉特旗。

达拉特旗归属伊克昭盟,也就是今天的鄂尔多斯市。清朝时期,伊克昭盟有三位世袭镇国公或辅国公,即"三公",另有七个世袭札萨克王爷,除了达拉特旗之外,还有六个。国民政府延续了清朝的王公制度。"三公六札萨,不抵一达拉"是说伊克昭盟的三位公爷和六个王爷加在一起,也不如达拉特旗王府富有。

达拉特旗王爷叫逊布尔巴图,人们称之为逊王。逊王王府在榆林召,榆林召位于黄河南岸,与包头隔河相望。虽然逊王非常富有,但他的大福晋却怀不上孩子。为了生孩子,逊王又相继纳了二福晋和三福晋。可是,几年过去了,这两房侧福晋的肚子也没动静。

有人就向逊王和大福晋说，汉人有"带子"的传统——谁家要是没儿子，领养一个男孩，自己就能生儿子。

逊王和大福晋动了心，领养之后能生更好，就算不能生，领养的孩子也可以继承自己的祖业。

王富贵和冯来福有七个把兄弟，都在讨吃窑，他们整天靠偷盗为生，偷盗的钱财绝大部分交给了"梁山"，七兄弟仅仅能维持温饱。与王富贵结拜的老三是个瘸子，人们都叫他三瘸子。麻家在石拐有个煤矿，那时，麻信的父亲经营包头城内的皮毛店，麻信夫妻和孩子都住矿上。三瘸子在麻信的矿上干过一段时间，因为盗窃矿上的财物被打断了腿。三瘸子对麻信恨之入骨，当时，麻信的儿子小崇德才三岁，三瘸子盯上了这个孩子。

逊王寻找"带子"的事传到了王富贵耳朵里，王富贵觉得这既可给三瘸子报仇，又可在麻家和逊王两家得到好处。于是，王富贵、冯来福和三瘸子等七人跑到石拐，把麻信的儿子小崇德绑架了。

王富贵叫人给麻信捎信，让麻信把一百块现大洋放在城外的五里脑包。包头东门外有个高坡，高坡上有个敖包，此敖包离城五里，当地人称之为五里脑包或东脑包。

麻信救儿心切，他把钱送到了指定地点，王富贵和三瘸子拿走了麻信的大洋，又把小崇德抱到了黄河对岸的榆林召逊王府。

小崇德到了逊王府，大福晋、二福晋、三福晋的肚子仍然没有反应。后来，逊王在包头的戏园子里认识一个唱戏的，这个唱戏的给逊王生了个儿子，唱戏的摇身一变成了四福晋。四福晋不愿意住在偏僻的榆林召王府，逊王就在包头城内买下了富三元巷中段彭贵人巷 8 号、9 号两所大院。逊王把两个大院进行了翻修，成了达拉特旗设在包头的王府，逊王和四福晋常年住在这里。

数年前，逊王死了，四福晋的儿子康王承袭王位。抗战爆发，康王因投靠日本鬼子被抓到重庆关了起来。现在只有四福晋住在包头的达拉特旗王府。

听了冯来福的一番话，水儿更恨自己的父亲王富贵，他不但害了母亲，还拆散了姥爷一家。可转念一想，冯来福也参与了绑架舅舅，他也不是什么好东西，水儿很不客气地问："你为什么告诉我？"

冯来福眼中充满仇恨："因为王富贵偷了我老婆，害得我家破人亡！"冯来福长叹一声，又说，"我知道你是个好孩子，你太可怜了，我们都是苦命人，同病相怜，我想收你为干女儿，关心你，照顾你。"

水儿心想，我怎么能跟你同流合污？她冷冷地说："你的情我领了，但我不需要关心照顾，你请吧！"

冯来福还想往下说，水儿把他推出门，"咣"，门重重地关上了。水儿背靠房门，泪水汩汩地流了下来。

过了大约十几分钟，外面传来"梆梆梆"的敲门声。水儿暗想，这个冯来福怎么属狗皮膏药的，粘上就揭不下来。水儿没有理会。

"梆梆梆"，敲门声再次响起，水儿也不回头："你又来干什么？"

门外道："水儿，是我，秀儿姑姑。"

一听是巴锦秀，水儿忙擦去眼泪，转身开门。

巴锦秀衣着单薄，脸色苍白，嘴唇发紫，水儿把她让进屋中。

水儿关切地问："怎么，姑姑，你不舒服吗？"

巴锦秀直搓手："没有，外面太冷了。"

水儿从柜子里取出一件夹袄披在巴锦秀身上。

巴锦秀身上有了暖意，见水儿脸上有泪痕，忙问："水儿，你怎么了？"

水儿把冯来福的话告诉了巴锦秀。巴锦秀知道王富贵为求富贵曾割自己的肉上供，也知道他当年是包头城内的混混，但王富贵造了这么多孽，巴锦秀还真不知道。

水儿一转话题："姑姑，听说鬼子最近对根据地封锁更严了，你来一定有事吧？"

巴锦秀道："姑姑的事不是很急，你还是去达拉特旗王府找四福晋打听打听，看看你舅舅到底在哪儿？"

水儿凄然一笑："姑姑，我想过了，舅舅是王府里的人，有钱有势，而且，事情过了这么多年，就算我能认舅舅，舅舅也不一定认我，还是以后再说吧。姑姑，你们根据地的情况好吗？"

巴锦秀摇了摇头："不好……"

1940 年 8 月至 1941 年 1 月间，彭德怀领导八路军发动了一场大规模的破袭战，八路军 120 师、129 师和晋察冀军区以及民兵共 105 个团对日作战，此战就是广为后世传颂的百团大战。百团大战中，八路军及敌后军民进行了大小战斗 1800 多次，毙伤日军 2 万多人，伪军 5 千多人；俘日军 280 多人，伪军 1.8 万人；破坏铁路 900 多里，公路 3000 多里；破坏桥梁、车站 258 处；此外，还缴获了日伪军大批武器和军用物资。

为了报复八路军，日寇于 1940 年 9 月底部署了一场"毁灭战"。编入战斗序列的部队多达 5 个师团、10 个独立混成旅团和 1 个骑兵旅团，总兵力达 15 万之众。其中，增调到大青山根据地的日寇就有 3 万多人，他们妄图把中国共产党领导的抗日武装饿死、冷死、困死。

在大青山，能通行的沟口大都垒起 5 尺多高、3 尺多宽的封锁墙；在可以通行的山坡上挖了 8 尺深的封锁沟，并增设据点和兵力。同时，日伪军还逐村逐户彻查共产党八路军家属，凡是被查出来的，一律处死。抗日军民陷入极端困难之中。

塞外的深秋，一团团乌云在天空中滚动着，细雨淋在脸上，冰一样寒冷。一支八路军抗日游击队躲在山洞里，他们身着单衣，脚穿单鞋。尽管一个个冻得瑟瑟发抖，但不敢生火，怕升起的烟雾被日伪军发现。

已经升任政委的巴锦秀眉头拧得很紧，如果在冬季来临之前不解决游击队的穿衣问题，部队就算不被日伪军消灭，也会被天气消灭。巴锦秀综合各方面的情报得知，近期包头城内的伪绥西自治联军要向驻守在五原县的伪军送一批棉衣。可是，五原一带地势平坦，无处隐蔽，要把这批棉衣劫下来难度极大。

巴锦秀虽然与王富贵有交往，但她没有把握能从王富贵手中拿到这批棉衣。巴锦秀实在不想触及水儿一碰就流血的心灵伤疤，可是，这批棉衣关系到百余名游击队战士的生命，他们是革命的火种，是抗日的火种，不能让这些火种熄灭啊！巴锦秀只得来找水儿。

看到巴锦秀的衣服，就能想到游击队战士的穿着。尽管水儿一万个不愿搭理王富贵，但她还是想把这批棉衣给巴锦秀弄到手。

"姑姑，你说，我怎么做？"

巴锦秀在水儿耳边说了几句，水儿连连点头。

水儿独自来到伪绥西自治联军司令部门前，两个伪军拦住了她："站住，你找谁？"

水儿道："我找王富贵，麻烦你们跟他说一声。"

两个伪军上下打量水儿："你是什么人？竟然直呼王参座的名讳？"

水儿白了两眼："我叫水儿，你给王富贵打个电话就知道了。"

两个伪军犹犹豫豫，其中一个走进岗亭，拿起电话。

透过窗户，水儿见那伪军手持电话，神色紧张，又是点头又是哈腰。

片刻，那个伪军从岗亭里出来了，他满脸赔笑："原来是小姐，失敬失敬，参座马上就到。"

王富贵是从里面跑出来的，一见水儿，高兴得手都不知往哪儿放了："水儿，来来来，快进来，进来，今天太冷了……"

王富贵把水儿带进司令部，他给水儿沏上茶，王富贵有点语无伦次："孩子，别走了，以后就住在爹这儿，跟爹在一起……咱们父女终于团圆了……你想吃啥，天上飞的，地下跑的，你随便挑……"

"谢谢，我不需要！"水儿面带哀怨，"昨晚我做了个梦，梦见娘在寒风中瑟瑟发抖。马上就到十月初一了，我想给我娘上坟，送点纸钱。"

第二十章

巴锦秀率领八路军抗日游击队埋伏在麻鹊坟墓周围，她派一个战士在山上瞭望，这个战士远远地看见三辆伪军军车开了进来，不知哪里滚下一块巨石，车上的伪军都下来搬石头，接着，一支队伍杀了下来。

中国民俗中有四大鬼节：三月三、清明节、七月十五和十月初一。农历十月初一也被称为寒衣节。为使逝去的先人免在阴曹地府受冻，活着的后人要为先人烧去御寒纸钱，以寄托对亲人的思念。

相传，寒衣节与孟姜女有关。孟姜女新婚不久，丈夫被抓去修筑万里长城，深秋季节，孟姜女千里迢迢为丈夫送衣御寒。当她来到长城脚下时，得知丈夫已经不在人间。孟姜女悲痛欲绝，哭声感动上天，长城倒塌，孟姜女在砖石之中发现了丈夫的尸体。孟姜女把带来的棉衣给丈夫的尸体穿上。时值阴历十月初一，后人就将这一天确定为寒衣节。

王富贵对水儿殷勤备至："给你娘上坟，好，好，应该，应该，爹跟你一起去，爹对不起你，也对不起你娘……"王富贵眼圈红了。

水儿冷冷地说："不用了，我娘看到你只会更伤心。"

王富贵对水儿百依百顺："也好，也好，爹听你的，爹什么都听你的。"

水儿并不正视王富贵："娘的坟在五原，我想明天就去。"

王富贵有些担心："城外的各个路口都有军队把守，你怎么去呢？"

水儿回了一句："就是因为有日伪军把守，我才来找你。"

虽然被水儿顶撞，但王富贵心里挺舒坦，他暗中庆幸路口有日伪军把守，不然，水儿是不会来找他的。王富贵想了一下："明天有三辆军车去五原，这样，你今晚就住在司令部，爹安排一下，你跟他们一起走。"

水儿嘲讽道："你的司令部衙门太大，我住不起，我还是回包头召，我在那里习惯。"

王富贵不敢违拗："那，那也行，爹把纸钱都给你准备好，明天一早去接你。"

第二天清晨，一辆吉普车和三辆军用大卡车停在包头召大门前。王富贵从吉普车中下来，他走到包头召小学水儿宿舍前，王富贵敲开门，赔着笑："爹给你办好了通行证，不然，日本人是不让你坐车的。还有，爹给你带来一套军服，你穿上。"

王富贵把一套伪军军官服捧给水儿，水儿十分厌恶："我不穿！让我穿这身狗皮干什么？"

王富贵耐心地说："水儿，日本人查得很严，你不穿是不能坐车的。"

王富贵在外面等候，不一会儿，水儿别别扭扭地穿着这身伪军军官服走了出来。

王富贵把水儿带到中间那辆卡车前，一个伪军军官带着七个伪军士兵站在车下。

王富贵对水儿说："你坐中间这辆车，中间安全一些。"王富贵又往车上一指，"爹把纸钱都准备好了，你看看，够不够？"

大卡车上面罩着一个圆拱形的帆布篷子，后面是对开的两片帆布门。水儿从车后爬上车厢，撩开帆布门，见里面满满的都是棉衣、棉鞋、皮帽，只是在左后角处放了十几捆黄纸钱。

水儿心跳加快，秀儿姑姑要的就是这些过冬衣物，太好啦！不知那两辆车装的是不是跟这辆车一样？水儿走向另一辆车，刚要上车查看，王富贵说："水儿，那两辆车都是军服，这些纸钱不够吗？"

水儿想，王富贵说的不会有假，既然三辆车都是军服，足够三四百人穿的。水儿一语双关："够了。"

王富贵把水儿母亲麻鹊坟地的位置告诉几个伪军，又以上级对下级的口气对伪军军官说："水儿是我的独生女儿，你一定好好照顾她，不能有一丝差错，明白吗？"

伪军军官立正敬礼："是！参座。"

水儿坐着军车顺利地出了包头西门，北面是蜿蜒起伏的群山，南面是一望无际的草原，一条公路伸向远方。水儿面无表情，内心却跟开了锅一般，这是她第一次执行这样的任务，而且任务如此艰巨。她盼望车快些，再快些，早点把这些衣物送到秀儿姑姑手中。

车要到五原县城时，前方往北出现一个岔道。三辆军车从大路下来，驶向山中。两旁崇山峻岭，道路较窄，车开得很慢。

三辆车左摇右摆，开了一个多小时。突然，前面山上"咕噜咕噜"滚下一块巨石。第一辆车的伪军司机一脚急刹，车离巨石不到一米停住了，后面的车也都停了下来。

水儿坐在驾驶室中间，司机和伪军军官一边一个。伪军军官警觉地拔出手枪，他在车内左右看了看，并不见有什么异常。伪军军官安顿水儿坐在车中，他小心地下了车。前后两辆车分别下来两个伪军，四个人都端着枪。伪军军官和伪军查看半天，仍没有发现什么情况。

伪军军官手枪一挥，对四个伪军命道："去，把前面巨石挪开！"

四个伪军来到石头前，他们放下枪，用力搬这块巨石，可搬了好几下，巨石只是欠了欠缝。

伪军军官又把三个司机叫了下来，七个伪军一起搬巨石。可是，石面较窄，只能容下四个人，其他三人伸不上手，巨石仍无法移动。

伪军军官道："去，砍几根木棍来！"

三个伪军到低洼处砍来三根木棍，伪军把木棍插入巨石下，伪军军官喊着号子："一二三——一二三——一二三……"

巨石一寸一寸往旁边挪。

七个伪军费了九牛二虎之力才把巨石移到路旁，还没等他们直起腰来，一只手枪顶在了伪军军官头上。伪军军官大惊，他侧过头，见身边站着一个中年男子，此人身着伪军军装，光头没戴帽子，也没有领章。

与此同时，山上冲下二十多人，这些人手中的武器七长八短，身上的衣服杂乱而又单薄，他们收了伪军地上的枪支，一部分人包围了这些伪军，另一部分人各持武器奔三辆车而去。

伪军军官还算镇定，他问中年男子道："长官是哪部分的？"

中年男子用大拇指一指自己："本人行不更名，坐不改姓，我是大青山蒙汉抗日游击队司令苏连鹏。"

伪军军官眼露惊恐："你老人家就是当年哥老会的三堂主，放傅作义部队进城的苏营长？"

苏连鹏自豪地点点头："还有人记得我，很荣幸啊！"

伪军军官诺诺连声："记得，记得，苏营长……不不不，苏司令，苏司令名震包头，如雷贯耳。兄弟是奉命到五原执行任务，看咱们都在一个部队的情分上，还请苏司令高抬贵手，放兄弟一马。"

苏连鹏正颜厉色："放你一马不难，这三辆车都是过冬的衣物吧？叫你的弟兄，把车开到我的驻地。"

伪军军官打着哈哈："苏司令，这个玩笑可开不得，车上的东西送不到地方，兄弟是要被枪毙的。兄弟家中上有七十老母，下有三岁的孩子，求你老人家开恩哪！"

苏连鹏一瞪眼："你是中国人，却给日本鬼子卖命，难道你想当一辈子汉奸吗？你就不怕你的儿孙跟你留下千古骂名吗？"

正说着，有个蒙汉抗日游击队员跑了过来："司令，情报没错，三辆车都是过冬的衣服，这下我们就不会受冻了。"

苏连鹏开心地笑道："好！"

又一个蒙汉抗日游击队员跑来："司令，我们还抓住一个女汉奸！"

说着，两个身着灰黑破衣、腰系麻绳的蒙汉抗日游击队员把水儿押到苏连鹏面前。

水儿纳闷，秀儿姑姑在母亲坟前等着，怎么半路上杀出一个程咬金？水儿正义凛然："我是堂堂正正的中国人，我不是汉奸！"

苏连鹏见水儿皮肤娇嫩，相貌端庄，朝气蓬勃，只是脸上隐隐地透出几分幽怨。

　　苏连鹏对伪军军官说："听见没，这叫骨气！中国人的骨气！一个女人都不愿当汉奸，你一个顶天立地的爷们儿，居然心甘情愿给日本人当狗？"

　　伪军军官道："苏司令，你老骂得对，兄弟实在是惭愧。只是一大家子人张嘴等着吃饭，但凡有一条生路，谁愿意背着这个骂名？从今天起，不，从现在起，兄弟脱胎换骨，做一个真正的中国人，再也不给日本人当狗了。"

　　听了这话，苏连鹏手中的枪口垂了下来："好，说得好，那就跟我干吧，我们一起打鬼子，抗日！"

　　苏连鹏放松了警惕，伪军军官见有机可乘，他突然出手，枪一下子顶在苏连鹏脑门上："姓苏的，别动！动一动老子就打死你！"

　　苏连鹏稍一犹豫，伪军军官迅速缴了苏连鹏的枪。

　　苏连鹏受制，他手下的蒙汉抗日游击队员都把枪对准了伪军军官："不许动！不许动！"

　　伪军军官也不含糊，他对苏连鹏喝道："快！让他们把枪放下，不然，我就开枪了！"

　　苏连鹏并不畏惧："有种你就打死我，想让他们放下枪，没门儿！"

　　伪军军官威胁苏连鹏不奏效，又对蒙汉抗日游击队员喝道："你们要不想让苏连鹏死，就往后退！退！快退！"

　　为了苏连鹏的安全，蒙汉抗日游击队员一步步后退。

　　身着灰黑破衣的两个蒙汉抗日游击队员还挺机灵，他们用枪顶着水儿："放下苏司令，不然，我们就先打死她！"

　　伪军军官稍一愣，他心里发虚，嘴上却狡黠地说："她也不想当汉奸，你们想怎么着就怎么着吧。"

　　两个灰黑破衣的蒙汉抗日游击队员一时不知所措，苏连鹏吩咐道："不要难为一个姑娘，放了她。"

　　两个人放了水儿，伪军军官又对这两个人喝道："往后退，都往后退！"

两个灰黑破衣的蒙汉抗日游击队员也退到了十步之外，伪军军官对水儿道："小姐，快上车。"

水儿暗想，这个"程咬金"肯定和秀儿姑姑不是一起的，没见到秀儿姑姑，我的任务没有完成。水儿向四周看了看，她上了原来那辆车。

伪军军官押着苏连鹏来到水儿那辆车前。车门开着，伪军军官把苏连鹏往车上一推，苏连鹏坐到驾驶室里，瞬间，伪军军官的枪离开了苏连鹏的头。伪军军官的屁股进了驾驶室，脑袋还没进来，忽听"啪"的一声枪响，伪军军官脑门上蹿出一股血。

伪军军官死不瞑目，他慢慢地转过头往后看，见车上的帆布出现一条口子，一支黑洞洞的枪口从那里探了出来，枪口还冒着淡蓝色的硝烟，伪军军官这才倒了下去。

七个伪军见伪军军官死了，顿时都傻了眼。蒙汉抗日游击队员一起举枪冲了上来："不许动！不许动！"

车上的苏连鹏和水儿都愣了，两个人各自下车。

这时，车后跳下一个女子，此人体态偏瘦，脖子修长，眉清目秀，一口雪白的牙齿。只是衣着单薄，腰系牛皮带，手里提着盒子枪。

苏连鹏惊道："九妹！"

巴锦秀笑盈盈地来到苏连鹏面前："三哥……我们好久没见了。"

水儿惊叫："姑姑！"

"水儿。"巴锦秀应道。

苏连鹏道："九妹，怎么，这个姑娘你认识？"

没等巴锦秀答话，水儿来到巴锦秀身边："姑姑，我把这些衣服都给你带来了，可是，被他们给劫了。"

此处离麻鹋的坟地只有一里多。巴锦秀率领八路军抗日游击队埋伏在麻鹋坟墓周围，她派一个战士在山上瞭望，这个战士远远地看见三辆伪军军车开了进来，不知哪里滚下一块巨石，车上的伪军都下来搬石头，接着，一支队伍杀了下来。

这个战士迅速报告巴锦秀，巴锦秀绕到三辆车后，见水儿进了中间那辆车的驾驶室，巴锦秀也跟了过去。巴锦秀上了车，爬到车厢前部，用匕首把帆布划出一口子，恰在这时，伪军军官要进驾驶室，巴锦秀近在咫尺，一枪打死了伪军军官。

枪声一响，八路军游击队都跑了过来。

苏连鹏大喜："九妹，这都是你的弟兄？"

巴锦秀点点头："是，三哥。那也是你的弟兄吧？"

"不错！"苏连鹏喜不自禁，"九妹，我们兄妹又到一起了，听说你当了八路军，还去了延安……"

一个战士向苏连鹏介绍道："这是我们八路军县大队的巴政委。"

苏连鹏的人也向巴锦秀介绍："这是我们蒙汉抗日游击队的苏司令。"

苏连鹏动情地对巴锦秀说："九妹，三哥知道，八路军是打鬼子的，我们也加入你的八路军吧？"

巴锦秀非常高兴："好啊！那我们就再也不分开了。"

苏连鹏心花怒放："好！我们再也不分开了。"

水儿在母亲坟前烧了纸钱。巴锦秀把七个伪军叫到身边，他们想回家就放他们走，想加入八路军游击队就留下，但有一条，绝不允许当汉奸。

七个人都表示愿意留下，加入八路军。

水儿也想跟巴锦秀一起打鬼子，巴锦秀觉得把水儿放回去可以更好地牵制王富贵，说不定还能通过水儿把王富贵争取到抗日队伍之中。巴锦秀把中间那辆车的司机叫到水儿面前，叮嘱他把水儿送回包头城。

巴锦秀怕这司机出现意外，她加重语气说："你也知道水儿的身份，你要说错了一个字，水儿一句话就能要你的命，你明白吗？"

司机道："明白，明白。"

水儿到了包头召，回想白天的经过，仿佛做了一场大梦，她正准备上炕睡觉。门外传来敲门声，声音不大，但很急。

水儿一惊："谁？"

"是我。"

水儿听出了王富贵的声音，她刚推开门，王富贵就挤了进来。

王富贵身着长衫，头戴礼帽，一进屋就问："水儿，你没事吧？"

水儿装出不高兴的样子指责道："你是怎么搞的？你那个带队的居然是八路军！"

王富贵拍了拍脑门："是爹所用非人，所用非人。这些八路军真是无孔不入，他们没有难为你吧？"

水儿没回答，却气哼哼地说："都怪你，好好的中国人不做，偏偏给日本人卖命。"

王富贵点上一支烟，他在屋里踱了几步，目光盯着水儿："你说也邪门了，八路军没伤你一根毫毛，就把你放回来了。"

水儿不冷不热："八路军放我回来给你捎个口信。"

王富贵眉梢一动："给我捎什么口信？"

水儿道："八路军说了，这次是给你一个教训，你要再当汉奸，下次他们连我一起杀！"

王富贵皱了皱眉："八路军真是这么说的？"

水儿觉得王富贵起了疑心，前走两步，她以进为退，双手并在一起伸向王富贵："不是！我是抗日分子！你把我绑起来交给日本人吧，说不定还能领到一笔重赏呢！"

王富贵爱也不是，气也不是，他无可奈何："你，你这孩子，你怎么能这么说呢？你是爹的亲生骨肉，爹怎么能把你送给日本人？爹这不是为你担心吗？"

水儿一屁股坐在炕上："我困了，我要睡觉，你走吧。"

王富贵踩灭烟头，悻悻地走了。

第二十一章

　　冯健发现父亲表情异样，但他惦记着心急如焚的水儿，牵挂着身在魔窟里的巴振华。冯健没有多问，他把巴振华被捕的经过详细地告诉了冯来福。

　　包头召东跨院街公所里来了个小伙子，小伙子瘦高个，鼻梁上架着一副眼镜，看上去文质彬彬。

　　宝力格喇嘛给水儿送水，水儿正在上课，小伙子跑过去帮宝力格喇嘛开了门。下了课，水儿在大殿前遇见了小伙子，小伙子主动搭讪："水儿老师，下课了？"

　　水儿点点头，脸一红："谢谢你。"

　　从这天起，每当宝力格喇嘛担水来到水儿宿舍时，小伙子都过来开门。水儿和小伙子熟悉起来。

　　小伙子住在街公所，自己做饭。小伙子做好了饭菜，总是盛上一饭盒放在水儿窗前，不声不响地走开。

　　水儿正值青春妙龄，十分敏感。可是，她不敢接受，因为母亲麻鹃的死在她心中留下了难以磨灭的阴影。水儿好几次都把饭盒送了回去，可小伙子又送了过来。

　　仲春，一场大风过后，包头召门前的树上掉下一只小喜鹊。小喜鹊黄黄的嘴，短短的羽毛，躲在水儿门前廊下的角落里瑟瑟发抖。水儿把喜鹊捧在手里，望着高高的树不知如何是好。两个大喜鹊在空中盘旋，发出尖利的叫声。

小伙子拿来一根木杆，他把小喜鹊放在木杆头上。小伙子攀上大树，举起木杆，把小喜鹊放在窝边，小喜鹊爬了进去。一只大喜鹊飞来，嘴对嘴地向小喜鹊"叽叽喳喳"地叫个不停。另一只大喜鹊站在树枝上，像哨兵一样四下张望。

水儿和小伙子对视，两个人都笑了。

就是这次，水儿知道小伙子叫冯健。也是这次，水儿对冯健产生了莫名其妙的依赖，一天不见冯健，心里就空荡荡的。

这天放学，冯健要请水儿吃饭看电影，水儿的心一阵紧张，她不知该不该去。见校长室的门虚掩着，水儿走了进去。

巴振华在批改学生作业。

"爹……"水儿红着脸，叫了一声。

巴振华放下手中的笔："水儿，晚上到家里吃饭吧？你干娘说，你有好几天没过去了。"

水儿揉捏着辫梢，嗫嚅道："不，不用了，爹……他，他叫我吃饭，吃过饭，去，去看电影。"

巴振华微微一笑："你是说冯健吗？"

水儿不敢正视巴振华的目光，她应了一声："嗯……"

巴振华点点头："好，好。"

水儿又羞又喜，她甜甜地说："爹，那我就去了。"

巴振华招了招手："去吧，去吧。"

水儿走了。

巴振华批改完学生作业，天已经黑了。他站起身，正准备回家。街上一阵大乱，接着传来"叽哩呱啦"的日本话，并不时伴有枪声。

巴振华来到庙前，他把大门推开一条缝，见一个黑影从西面跑了过来，黑影来到庙门前。月光下，巴振华定睛一看，这不是小林子嘛！

巴振华拉开门，一把拽住小林子的衣服："小林子，跟我来。"

小林子随巴振华进了包头召，巴振华关上庙门，插上门闩。他带着小林子穿过天王殿，跑到包头召西跨院。

门外传来急促的砸门声："开门的！开门的！不开的，死了死了的！"

庙门被枪托砸得山响，巴振华哪里顾得，他和小林子来到后院马棚，巴振华蹲下身，小林子踏上巴振华的肩，巴振华站起身，小林子双手搭住墙头，一用劲儿，一块砖掉下落在地上。小林子的手又换了个位置，翻身而去。

庙门被砸得更响了，整个包头召都听得清清楚楚。巴振华掸了掸肩上的土，他小跑来到庙门前："来了！来了！"

巴振华拔下门闩，十几个日本宪兵闯了进来。宪兵队副队长冈本虎雄凶神恶煞般地揪住巴振华的衣领："你的，八路的干活！"

巴振华连连摇头："不不，太君，我的，良民的干活。"

冈本虎雄推了巴振华一把，对手下的日本宪兵说了几句日语，十几个宪兵各持手电筒散开。

冈本虎雄围着巴振华转了两圈，巴振华如芒在背，极不自在。

一个宪兵跑了过来，他向冈本虎雄说了几句日语。冈本虎雄一摆手，这个鬼子举枪押着巴振华来到马棚。日本宪兵弯腰拿起地上的砖递给冈本虎雄。冈本虎雄借着手电筒的光亮反复翻弄两遍，他一扔砖头，"啪啪啪"连扇了巴振华几记耳光，巴振华嘴角流出血来。

冈本虎雄手指巴振华的鼻子："你的，良心的，大大的坏了！"

巴振华争辩："我是良民，我有良民证。为什么打我？"

冈本虎雄怒道："八嘎！地上砖头的，你的，八路的放跑的干活！带走！"

水儿和冯健回来时，包头召各个房间都被人砸开了，箱子柜子被翻得乱七八糟。两个人跑进禅房，禅房里空无一人，也是一片狼藉。水儿和冯健又来到大殿，见巴喜喇嘛和宝力格喇嘛跪在宗喀巴佛像前，嘴唇嚅动，一个劲儿地念经。

水儿吃惊地问巴喜喇嘛："四老爷爷，出了什么事？"巴振华称巴喜为四爷爷，水儿称巴喜为四老爷爷，土默特人把父亲的爷爷称老爷爷。

冯健也问："二位大师，这到底是怎么了？"

宝力格喇嘛先站了起来："日军宪兵队来了，巴校长被鬼子抓走了。"

安仁里的日军宪兵队被包头人称为魔窟，这里有钉竹签、火烙、老虎凳、灌煤油、灌辣椒水等酷刑。凡是被押到安仁里的人，很少有人能活着出来。据统计，在抗日战争期间，安仁里日军宪兵队公开和秘密杀害的共产党、八路军、国军谍报员和傅作义的便衣队，以及其他的政治犯等多达300余人。

水儿的姥爷麻信就是死在日军宪兵队的，想到姥爷死前的惨状，水儿的头发都要竖起来了："爹！"水儿往外就跑。

冯健一把拉住水儿："水儿，这黑灯瞎火的，你去哪儿？"

水儿哭道："我去找他，让他把我爹救出来。"

冯健不知所云："他是谁？"

水儿并不理会冯健，她甩开冯健，一口气跑到伪绥西自治联军司令部大门前。两个站岗的伪军把枪一横："站住！不许动！"

冯健抱住水儿的后腰："水儿，你冷静点，你跑到这儿干什么？"

水儿气喘吁吁地对两个伪军说："我是王富贵的女儿，你们快把王富贵叫出来！"

两个伪军愣住了："什么？你是参座的小姐？"

水儿急道："少啰唆，快去！"

两个伪军没动，其中一个说："小姐，参座不在，前天随总司令到满洲参观考察去了。"

伪军说的总司令是指王富贵认的干爹、伪绥西自治联军总司令王英。

水儿就觉得眼前发黑，天旋地转。

水儿坚持要在伪绥西自治联军大门前等王富贵回来，她要第一时间见到王富贵，第一时间把干爹巴振华救出来。冯健是清醒的，王富贵前天刚走，从包头到满洲没有半个月根本回不来，水儿这要等到什么时候？

冯健连哄带劝，好说歹说总算把水儿搀回包头召小学宿舍。可是，水儿只是哭，饭不吃，水不喝。

冯健疼在心里，急在脸上。他时而站起，时而坐下；时而走到门前，时而又回到炕边；时而向外张望，时而看着水儿痛苦的表情。

清晨，宝力格喇嘛挑水来到水儿宿舍，见水儿两眼哭得跟核桃一般，他的眉头拧成了一个疙瘩。

宝力格喇嘛把两桶水倒入缸中，他挑起空桶，出东门来到转龙藏。担水的人陆陆续续，人们排着长队。宝力格喇嘛接了两桶水，他没有挑起，而是把扁担立在大树下，他坐在树下的木墩上，眼睛左右顾盼。

有人向他打招呼："宝大师，累了？"

宝力格喇嘛淡然道："累了，歇一会儿。"

大约过了半个小时，一个驼背人挑着担子走来。驼背人把自己的扁担挨着宝力格喇嘛的扁担立在大树下，他和宝力格喇嘛对视一下，宝力格喇嘛这才站起身，拿起驼背人的扁担，挑起水走了。

宝力格喇嘛把这担水挑进禅房。禅房中只住着他和巴喜喇嘛两人。一进门是厨房，与厨房隔着一堵墙是炕。

巴喜喇嘛不在，宝力格喇嘛知道他在大殿中为巴振华祈祷。宝力格喇嘛放下水桶，指甲麻利地在扁担头上一划，一块木片落入手中，扁担头出现一个凹槽，凹槽里面有一张小纸条。宝力格喇嘛取出纸条，又把小木片安上，扁担完好如初。

宝力格喇嘛打开纸条，见上面有一行字，他把纸条藏入怀中。

宝力格喇嘛挑着空桶走到水儿宿舍外，他放下水桶，轻轻地敲了敲门。冯健打开门，宝力格走进屋中，见水儿头朝里，侧卧在炕上，好像是睡着了。

冯健问："宝大师，您有事吗？"

宝力格喇嘛没有回答，而是低声问："你是河北人吧？"

冯健一愣，他的眉头动了动："我是山西人？你是什么地方人？"

宝力格喇嘛道："我也是山西人，你是从老家来的吗？"

冯健回头看了看炕上的水儿，水儿没有反应，他轻轻地说："不，我不是从老家来的，是从二姨家来的。"

宝力格喇嘛又问："你二姨父还做豆腐吗？"

冯健道："不，我二姨父不做豆腐了，现在做凉粉。"

两个人说的是接头暗号。一老一少，一僧一俗，两个人的手紧紧地握在一起，双方的脸上都掠过会心的笑容。

宝力格喇嘛把纸条放在冯健手心上，又轻轻地按了一下，转身离开了水儿的宿舍。

冯健见水儿还睡着，他悄悄打开纸条，见上面有一行字：

　　　　启动父子关系，速救巴振华！

冯健销毁小纸条，他蹑手蹑脚地出了房门。穿过包头召大门，冯健疾步如飞。

伪包头市公署在新太店巷，冯健来到伪公署前，两个站岗的警察拦住了他："站住！干什么的？"

冯健道："我叫冯招财，从满洲新京回来。冯来福警长是我父亲，我要找我爹。"

"原来是冯警长的公子，失敬！失敬！"一个警察忙跑进值班室，他拿起电话说了两句就出来了，他谄媚地笑道："公子，冯警长马上出来。"

一见冯健，冯来福笑逐颜开："儿子！我的儿子，哈哈哈……"

冯健勉强笑了笑："爹。"

冯来福问："儿子，刚下火车吧？怎么也不给爹打个电报，爹去火车站接你。"

冯健摇了摇头："爹，我都回来三个月了。"

冯来福一愣，责备道："什么？你回来三个月了，居然才来找你爹？"

冯健解释说："爹，你不总是叫我自强自立吗？我是怕一见到爹，爹就把一切都给我安排好了。"

冯来福很满意："行！是我儿子，这几年没白学，出息了！"

冯来福从小要饭，没上过学，认的字都是当了警察之后学的。虽然冯来福没有文化，但他深知文化的重要，因此，冯来福宁可不吃不喝，也要让冯健上学。听说满洲国有个建国大学很有名气，沦陷区一些有钱有势的家庭纷纷把孩子送到那里。四年前，冯来福把儿子送进这所大学，成了插班生。

今天的长春大学就是伪满洲国建国大学旧址。

建国大学 1938 年 5 月落成，学制六年，分前后两期，各三年。前三年学习的内容主要是自然、地理、生理、日语、农事等；后三年侧重于专业课程，包括政治、军事、经济等。1943 年 6 月，第一届学生毕业，伪满洲国皇帝溥仪亲自到场讲话，并为学生颁发毕业证。

建国大学隶属于伪满洲国国务院，由伪满洲国总理张景惠任校长，实际上是日本人管理。尽管日本人管得很严，但学校里中国学生反满抗日情绪暗波涌动，一批进步学生偷偷地成立了读书会，甚至有人弃学投奔到关内的国民党、共产党队伍之中，直接参加抗日活动。

冯来福原来给儿子起名叫冯招财，冯招财上了大学后，觉得太俗气，就改名叫了冯健。

冯来福把冯健领到他的办公室，一个警察上前给冯来福和冯健倒茶，冯来福高兴得不知说什么好了："儿子，咱们老冯家千顷地就你一根独苗。你现在回来正好，赶紧娶房媳妇，给爹多生几个孙子。"

冯健正中下怀："爹，我还真有了个中意的姑娘。"

冯来福喜道："好儿子，行啊！快告诉爹，是谁家的千金？"

冯健说："爹，这个姑娘你认识，她叫水儿。"

一听"水儿"，冯来福愣住了，他半晌没说话。

冯健的心打起鼓来："爹，你怎么了？"

突然，冯来福一拍大腿："善恶到头终有报。老话说的就是好，报应，报应来了……"见冯健一副不解的样子，冯来福把后面的话咽了回去，他马上改口，"不是不是……儿子，爹知道，爹认识，水儿那姑娘不错，真的不错。另外，爹还知道，水儿姥爷麻信临终前的万贯家财都给了她，你要是能娶她，那后半辈子都不用愁了……"

冯健打断冯来福的话："爹，我跟水儿不是为了钱。"

冯来福心不在焉地附和道："对对对，不是为了钱，我儿子这么有出息，哪还在乎别人的仨瓜俩枣。"

冯健一脸心事："爹，我今天是来求你的。"

冯来福不以为然："求爹？你这孩子，说什么呢？爹还用求吗？你说就是了。"

冯健望着冯来福："爹，水儿的父亲被日本宪兵抓走了，现在非常危险，我想求你帮水儿救人。"

"报应！报应真的来了！"冯来福的眼睛睁大了，他忙不迭地问，"你是说王富贵被日本宪兵抓走了？"

冯健摇了摇头："爹，不是王富贵，是水儿的义父巴振华，巴校长被日本宪兵抓走了。"

冯来福很是失望："怎么是巴振华呢？"

冯健发现父亲表情异样，但他惦记着心急如焚的水儿，牵挂着身在魔窟里的巴振华。冯健没有多问，他把巴振华被捕的经过详细地告诉了冯来福。

冯来福直抖手："儿子，巴振华被谁抓去都好办，就是被日本宪兵抓去难办。那日军宪兵队可是阎罗殿哪！"

冯健更着急了："爹，就因为是阎罗殿，我才来找你老人家。"

冯来福挠着脑袋："难！难哪！"

见冯来福不肯出面，冯健站了起来："爹不肯帮忙，那我就独自闯一趟日军宪兵队，就是拼了我这条命，也要把巴校长救出来。"

第二十二章

巴锦秀告诉哥哥巴振华，贾奎泰很想来包头召看看，但他身
负一项十分艰巨的任务，无法脱身。巴振华想，贾奎泰会有什么
任务呢？

冯健要独闯日军宪兵队，冯来福吓坏了，他下意识地扯住了冯健的衣
襟："儿子，日本人根本就不认识你，你去了不但救不回巴振华，说不定
你也出不来。"

冯健灵机一动："爹，我从新京回来时，听说日本本土把十五六岁的
孩子和六十岁的老人都送到了战场。人们相传，日本人在中国待不了多久
了。狡兔三窟，你当的可是伪警察，还是早点给自己留条退路吧。"

冯来福欠了欠身："真的？"

冯健点点头："当然是真的。"

冯来福吧嗒吧嗒嘴："那爹试试吧。"

冯来福叫来一辆三轮摩托车，刚坐上摩托车，又下来了。冯来福回到
办公室，从抽屉里拿出一个精致的檀木盒，打开盒子，里面是用黄绸布包
的一块羊脂盘龙玉，冯来福把这块玉包好，捧着檀木盒二次上了摩托车。

来到安仁里日军宪兵队，冯来福拿出自己的证件，两个站岗的日本宪
兵放行，摩托车开进大门。

日军宪兵队副队长冈本虎雄对中国的玉器古玩情有独钟，王富贵也好，冯来福也罢，许多人都知道冈本虎雄的喜好，一些人为了能攀上冈本虎雄，给他送了不少珍奇古玩。冯来福身为包头市的警长，有条件得到此类珍品，因此，他跟冈本虎雄混得还算不错。

　　冯来福来到冈本虎雄的办公室，冈本虎雄很是热情："哟西，冯桑，都兀走，都兀走。"

　　冈本虎雄说的意思是：冯君，你好，请坐，请坐。

　　冯来福坐下，冈本虎雄给他倒上茶，冯来福把这块羊脂盘龙玉推给冈本虎雄，冈本虎雄一看，眼睛就直了，冯来福这才谈到巴振华。冈本虎雄虽然怀疑巴振华放跑了八路，但毕竟没有抓到真凭实据，何况巴振华拒不招认。

　　冯来福恭维道："冈本君，你那十八般刑具谁受得了？不要说巴振华是个白面书生，就算他是钢筋铁骨也难以招架。我担保，巴振华肯定不是八路，也不会是抗日分子。"

　　冈本虎雄眼睛眨了眨，狡黠地问："冯桑，你为什么要给巴振华担保？"

　　冯来福叹道："唉，不都为了孩子嘛，我儿子看上了巴振华的干女儿。"

　　冈本虎雄点点头："哟西，看在冯桑的面子上，我可以放巴振华。不过，担保费是少不了的。"

　　冯来福就等着冈本虎雄这句话。冯来福想，我的羊脂盘龙玉不能白送，羊毛出在羊身上，我也得让巴家出点血。

　　水儿偎依在冯健身上，听到外面的敲门声，两个人马上站了起来，冯健上前开门，见是冯来福，冯健急切地问："爹，怎么样？"

　　冯来福皱了皱眉："巴校长可以出来了，不过，日本人要三万赎金。"

　　冯健愕然道："三万！这么多？爹，你能不能跟日本人好好说说？"

　　本来冈本虎雄只要一万，冯来福却说三万。

　　冯来福一个劲儿地买好："爹已经把好话说尽了，爹用自己的脑袋担保巴振华不是抗日分子，冈本虎雄才答应放人，不然，就是花十万也赎不回人哪！"

一听交钱就能放义父巴振华出来，水儿两眼闪亮："有钱！我有钱！姥爷给我留下好多钱，冯……冯叔叔，我都给你，都给你。"

说着，水儿翻箱倒柜，把全部存款给了冯来福。冯来福看了看，水儿的存款总共两万一千块钱，麻信的房产可以卖六七千，现在急于变现，只能一半出手，加在一起也就两万四千出头。

冯来福嗫着牙摇头："还差六千，难哪！"

水儿只得去找巴振华的夫人常氏商量。

如今，巴振华的大爷爷巴福已经谢世了，郝香香的身体还算硬朗。常氏和四婶郝香香卖了多处房产，才凑足赎金。

冯来福带着水儿和冯健来到日军宪兵队大牢。

巴振华佝偻着身子，地上只有薄薄的衰草，一股浓烈的煤油味和草的霉变味呛得人喘不过气来。巴振华的嘴和鼻子流着红色的液体，他的呼吸很弱，连咳嗽吐痰的力气都没有了。

巴振华被鬼子灌了煤油。灌煤油可不是从嘴往胃里灌，而是从鼻孔往肺里灌，这是比灌辣椒水还要残酷的刑法。受刑者全身痉挛，剧咳不止，七窍流血，视力大减，一些人往往因此终身瘫痪。不但如此，巴振华还被钉了竹签，十个脚趾甲缝和十个手指甲缝里结着血痂，流着脓，人已经奄奄一息了。

身为警长的冯来福经常给人动刑，但看到巴振华这般模样，他还是不寒而栗。

巴振华总算捡回一条命。

1945 年 5 月 3 日，苏联红军攻克德国首都柏林，二次大战欧洲战场结束。8 月 6 日美国向日本广岛投了第一颗原子弹，8 月 9 日又向日本长崎投了第二颗。同日，苏联红军分三路越过中苏、中蒙边境，向日本关东军发起总攻。1945 年 8 月 14 日正午，日本天皇向全国广播了《停战诏书》，接受波茨坦公告，无条件投降。

正当全国人民纵情欢庆抗战胜利的时候，国共两党的冲突开始了。

傅作义被国民政府认命为第十二战区司令长官，负责热河、察哈尔、绥远三地的日军受降，全权接收这三个省。

傅作义行动十分迅速，1945 年 8 月 17 日，傅作义部的先遣队进入包头市区查封日伪物资。次日，傅作义的指挥部进驻包头城外电灯公司院内。

傅作义是中华民国政府受降官，代表的是国家，既有正统优势，又有军事实力。一大批伪军见风使舵，纷纷投到傅作义部下。在不到一个月时间里，傅作义部先后夺取了八路军已经接收的绥远省集宁、丰镇、武川等大部分城镇，八路军在大青山建立的抗日政权被压缩得越来越小，一部分群众对八路军产生了动摇。

8 月 26 日，中共中央决定全面整合八路军、新四军和东北抗日联军，"解放军"的名称正式提出。在张家口，部队的编制还没有理顺，傅作义部的大军就压了过来。

张家口是察哈尔省省会，八路军冀察军区部队先于国民政府军接收了这座城市，傅作义部沿平绥线铁路大举进攻，兵锋直指张家口。

敌强我弱，为了避免与傅作义部正面冲突，聂荣臻、贺龙两支部队转攻绥远省会归绥。可是，归绥城高墙厚，城内兵精粮足，解放军强攻半月没有进展，战争一度陷入僵局。为了扭转被动局面，中共中央军委电令聂荣臻、贺龙放弃归绥，转攻包头。

要打包头，必须了解城内傅作义部的驻防和火力配备情况。包头五门都有重兵把守，对过往的老百姓盘查很严。

巴锦秀装扮成农妇，她挎着篮子，混入人群。西北城门前，人们排成长长的队伍等候进城，两个当兵的拦住一个挑担子的人："你是干什么的？"

挑担子的人怯怯地说："老总，我是货郎，是走街串巷卖货的。"

一个当兵的喝道："货郎？共产党就喜欢扮成货郎！"

货郎两腿发软，两眼发直："老总，老总，我真是货郎，不是共产党。"

另一个当兵的蛮横地道："少啰唆！把东西都拿出来，检查！"

货郎放下担子，把针头线脑、拨浪鼓、虱子药、跳蚤药等一一摆在地上。两个当兵的不但搜查了货郎的全身，还把针线包、虱子药、跳蚤药也打开看了，这才放货郎过去。

轮到了巴锦秀，巴锦秀掀开篮子上的花布，里面有二十几个鸡蛋。

一个当兵的问："干什么的?"

巴锦秀装出一副愁容："孩子病了一个多月，连炕都起不来，家里就这几个鸡蛋，拿到城里给孩子换点药。"

两个当兵的让巴锦秀把鸡蛋拿出来，鸡蛋的下面除了麦秸草什么也没有。巴锦秀顺利地进了城。

太阳被一个大圆圈包围着，这是日晕现象。当地人讲，出现这种现象往往预示着要刮大风。

巴振华遭受日军宪兵队的酷刑已经过去两年多了，身体一直没有恢复，他的腰不再笔直，脚步不再稳健，尤其是眼睛，瞳孔前总像蒙着一层雾。尽管如此，他仍然坚持来包头召小学上班。

巴振华在黑板上写了几行字——

炎黄子孙是世界上最优秀的民族之一。伟大的中国人民经过八年艰苦卓绝的斗争，终于打败了日本帝国主义，从此将过上幸福生活。

巴振华从中国的四大发明说起，可是，刚刚讲了十来分钟，就剧烈地咳嗽起来，但他还是坚持把课上完。

回到校长室，巴振华坐在办公桌前，他拉开抽屉里从中取出两颗药丸。他把药丸掰成几个小块，用水送服，咳嗽减轻了一些。

一个人推门而入，巴振华努力看着对方，但对方的眉毛、眼睛、鼻子、嘴模糊一片。巴振华问："你是哪位?"

这个人来到巴振华面前："巴校长，是我，我是小林子。"

巴振华喜道："小林子啊! 你好，你好! 快请坐。"

见巴振华身体远不及前几年，小林子心中很不是滋味，都是因为救自己，巴振华才被日本宪兵折磨成这样，小林子心中充满歉意："巴校长，是小林子连累了你，小林子对不起你……"小林子说不下去了。

巴振华凄然道："不要这么说，你又是为了谁？还不是为了打败日本鬼子，为了我们的国家。这些年来，被日本鬼子迫害至死的何止千万？我能活下来，能看到日本鬼子投降就已经很满足了。对了，小林子，我入党的事，上级有什么消息吗？"

小林子眉毛动了两下，他没有马上回答，巴振华有所预感，他悠悠地说："看来，我还是不够共产党员的标准哪。"

小林子连连摇头："不不不，巴校长，包头召为共产党传递了大量情报，你为共产党做出了重大牺牲，只是，只是一些人还有不同的意见，归纳起来有两点：其一，共产党是无产阶级的政党，巴家比较富有；其二，你虽然为共产党做了很多工作，但也为傅作义部攻城策反过苏连鹏。"

一股酸水从巴振华的喉咙中涌了上来，自己家庭虽然不能算是无产阶级，可是妹妹不也是共产党的政委吗？再说，策反苏连鹏是贾奎泰安排的，贾奎泰是共产党的领导，我还不是在为共产党做事吗？

巴振华把这股酸水咽了下去，他苦笑一下，似在反驳小林子，也似自言自语："共产党也好，国民党也罢，都是中国人。"

小林子摇了摇头道："现在不一样了，国共两党之间的战争又爆发了。"

巴振华剧烈地咳嗽起来，嗓子又苦又咸。

小林子忙为巴振华抚胸捶背，半晌，巴振华的咳嗽才止住。

小林子想安慰巴振华："巴校长，不说这些，我们说点高兴的。当年你有个嫂子叫云娘是不是？"

巴振华猛地抬起头，是啊，自己兄妹三人：大哥巴振中，姐吉云娘；妹妹巴锦秀。

二十多年前，包头发生大瘟疫，巴振中卧床不起，尽管妻子云娘多方求治，可仍没有挽回巴振中的生命。巴振中去世时，云娘有了身孕，巴振华的父亲巴文峰、母亲荣氏担心云娘染上瘟疫，影响到她肚子里的孩子，二老让家人赶骡子车送云娘回娘家躲避，哪知路上遭遇土匪，云娘生不见人，死不见尸。为此，巴文峰和荣氏夫人痛心不已。不久，老夫妻也染上了瘟疫。荣氏夫人临终的时候还托付妯娌郝香香打听云娘的下落。妹妹巴锦秀为找姐吉云娘，跟许多人拜过把子，其中就有苏连鹏。这么多年，巴家一直都没有放弃寻找云娘，小林子突然提到这件事，巴振华马上来了精神。

巴振华浑浊的眼睛仿佛一下子明亮起来，他连连点头："是是是，难道有我姐吉云娘的消息了？"

姐吉就是嫂子。

小林子道："据我党地下组织了解，你嫂子可能还活着，当年她离开巴家几个月后生了个男孩子。这个男孩应该是你大哥巴振中的遗腹子，也就是说，这个男孩是你的亲侄子。"

人过中年，十分看重家族的延续。虽然父辈六人，但到了巴振华这代，巴家人丁并不兴旺。巴振华和妻子常氏只有一女，没有儿子，现在自己身体这样，再也不可能生孩子了，得知大哥有了后代，这可是天大的喜事！

巴振华简直不敢相信："小林子，这是真的？"

小林子点点头："千真万确！让我转告这个消息的人你很熟，他就是现任中共绥远省委组织部长贾奎泰同志。"

一听贾奎泰，巴振华又想到了自己的入党——当年李裕智在包头召建立包头第一个党组织；大革命失败，一些共产党人从包头召转移到苏联和外蒙古；把中共绥远特委机关设在自己家里；贾奎泰暴露，我让四爷爷给他剃成光头，送他出城；还有小林子被日本宪兵追捕，我出手相救……桩桩件件，都有杀头风险，无不凝结着我巴振华对共产党的忠诚。当年，贾奎泰对我是给予极高评价的，如今贾奎泰当了省委的组织部长，为什么不批准我入党呢？

巴振华的喉咙又涌上一股酸水，他用力咽了下去，垂下了头。

小林子似乎看出了巴振华的心思，他说："贾奎泰同志为你入党的事多次向有关领导汇报，至今仍在极力争取，相信他会说服有关领导的。"小林子又把话题引到了云娘身上，"对于你嫂子和你侄子的事，贾奎泰同志已经派人与他们母子接触，可能很快就会有消息。"

巴振华又抬起头，喃喃道："这就好，这就好……"

小林子道："还有更好的消息，抗战不久，贾奎泰和巴锦秀同志就结成了革命眷属，只是因为革命需要，他们的夫妻关系一直没有公开。现在，贾奎泰和巴锦秀同志已经有了一双儿女，这两个孩子都在延安。"

贾奎泰和巴锦秀原是结拜姐弟，几年前，巴振华就隐约感到两个人的关系有些微妙，但每次见贾奎泰和巴锦秀他们都是来去匆匆，巴振华没有机会多问，现在终于在小林子口中得到了证实。巴振华万分高兴，刚才的怨气烟消云散了，他脸上绽开了笑容："好！好！太好啦！"

两个人正说着，门开了，巴锦秀走了进来。一见妹妹，巴振华更为激动，他问贾奎泰为什么没和巴锦秀一起回来。巴锦秀告诉哥哥巴振华，贾奎泰很想来包头召看看，但他身负一项十分艰巨的任务，无法脱身。巴振华想，贾奎泰会有什么任务呢？巴振华暗中摇了摇头，自己不是共产党的人，还是不要问了。巴振华转而向妹妹巴锦秀询问姐吉云娘和侄儿，巴锦秀刚要回答，宝力格喇嘛挑着水走了进来。

宝力格喇嘛放下担子，打开水缸盖，把两桶水倒入缸中。

宝力格喇嘛并没有马上离开，而是两眼注视巴锦秀，眉头皱起。

巴振华想和妹妹多说几句话，便对宝力格喇嘛道："宝大师，谢谢。"说着，把一张钞票往宝力格喇嘛手里塞。

宝力格喇嘛没有接，而是对巴锦秀说："我知道你是共产党的地下工作者，我也告诉你，我是国民政府的谍报人员。"

一听宝力格喇嘛是国民党的谍报人员，小林子立刻把枪口对准了他。

宝力格喇嘛早已把生死置之度外："想打死我吗？开枪吧，贫僧倒要看看，同胞的子弹是怎么穿入我胸膛的！"

第二十三章

王富贵定睛一看，什么李彤？这不是巴锦秀嘛！省党部下达的共产党名单中，巴锦秀位列第五名，这可是一条大鱼！

巴锦秀觉得宝力格喇嘛仿佛有一肚子话要说，她按下小林子的枪口，神色凝重地说："宝大师，请赐教！"

宝力格喇嘛昂首挺胸："我虽然是政府的谍报人员，但首先是中国人，贫僧之所以走上这条路，是因为日军对中国百姓的暴行。可我就不明白，日本鬼子被赶走了，为什么你们共产党却把枪口对准政府？"

巴锦秀道："宝大师问得好！不过，我也想问问宝大师，天下间是以弱欺强，还是恃强凌弱？"

宝力格喇嘛冷峻道："这还用问，弱怎么敢欺强？当然是恃强凌弱。"

巴锦秀一脸正气："宝大师说得非常正确。当今中国，国民党强，共产党弱，尤其是国民党把持着国民政府，中共不愿意，也不想与国民党发生冲突。可是，日寇侵华期间，我们共产党人在敌后开展游击战，建立了一些敌后政权。日本鬼子一走，国民政府就命傅作义部向我们的根据地进攻。这些根据地是我们党用鲜血和生命从日本鬼子手中夺回来的，难道我们会无动于衷吗？我们很想过和平的日子，我们不愿打仗，可是，国民党当局的屠刀已经架在了我们的脖子上，我们能不反抗吗？"

宝力格喇嘛质问："现在是你们要攻打包头！"

巴锦秀平静地说："宝大师，我们攻打包头是无奈之举，也是围魏救赵之策。傅作义的主力部队进攻我党张家口周边的根据地，为了解除根据地的压力，我们才冒险来抄傅作义的后路。宝大师，战争的主动权不在我们，而是在你们。"

宝力格喇嘛双手合十，他表情凄楚："阿弥陀佛，自民国以来，军阀之间，国共两党之间，都是中国人打中国人。抗战爆发，中国人终于可以一致对外了，可现在日本鬼子投降了，中国人又要打中国人。中国人的事，为什么不能商量，为什么不能坐下来谈？为什么要拼个你死我活？……"

巴锦秀的心情也很沉重："我们想谈，我们做了最大努力，我们党的最高领导人毛泽东同志去了重庆，也和政府签订了《双十协定》，可是，蒋介石并没有按协定去做，国民党大兵压境，我们别无选择。"

1945年8月29日至10月10日，以毛泽东为首的中国共产党代表团与国民政府代表在重庆举行会谈。经过43天的艰苦谈判，于10月10日签署了《政府与中共代表会谈纪要》，简称《双十协定》。

这个纪要主要有：关于和平建国的基本方针、政治民主化、国民大会、人民自由、党派合法化、特务机关、释放政治犯、地方自治、军队国家化、解放区地方政府、奸伪、受降等12个问题。这12个问题中仅少数几条得到了双方的认同，尤其是在军队国家化和解放区地方政府两个重大问题上，国共之间的分歧难以调和。

蒋介石把毛泽东视为敌人，他认为，对朋友，对下属，对百姓应该讲信用，对敌人讲信用自己就成了项羽。当年项羽和刘邦也签订了合约，双方以鸿沟为界，互不进攻。项羽以为可以高枕无忧了，哪知刘邦用韩信之计，明修栈道，暗度陈仓，大举进攻项羽。当时，项羽强，刘邦弱，可最后却是项羽兵败，乌江自刎，刘邦夺取天下，奠定了汉朝四百年基业。两千年来，只有人为项羽惋惜，没有人谴责刘邦。

因此，蒋介石背弃《双十协定》，后来又撕毁了这个协定。这使各党派和广大群众，特别是中间势力，纷纷谴责国民政府，中国共产党得到了国内外舆论的广泛同情和支持，民心渐渐转向共产党。

宝力格喇嘛面露痛苦："阿弥陀佛，我这就去找当局，他们能把屠杀中华民族的日本鬼子放回国，为什么不能宽容同为炎黄子孙的中国人？"

宝力格喇嘛挑起两个空水桶，却像挑着千钧重担。他走出了西跨院，走出了包头召。巴锦秀发现，宝力格喇嘛的背影跟跟跄跄。

傅作义部驻防包头城的总兵力约 1.22 万人。巴锦秀画了一张图，把城里城外的明堡、暗堡和兵力部署情况做了详细的标注。

1945 年 11 月 12 日晚十点，解放军晋绥军区对包头城发起总攻，13 日夜，解放军从西北城门攻入。然而，战场上瞬息万变，傅作义一支增援部队突破解放军外围防线杀进包头城，城内傅作义部的虎将董其武精神大振，他命令部队全面反击。解放军腹背受敌，被迫撤到城外。

解放军调整部署，12 月 2 日夜再次进攻包头。双方激战近 48 小时，虽然包头城墙被炸出两个豁口，但董其武奋力阻击，给解放军造成很大伤亡。当天夜里，解放军撤离包头。

清晨，天中飘着铅灰色的云，树上没有鸟，街道上也没有行人。不知是被炸的，还是被冻的，大地出现一条条裂痕。

包头召小学已经停课半个多月了。宝力格喇嘛走后，包头召禅房里只剩巴喜喇嘛一个人。巴喜喇嘛披着厚厚的僧衣来开庙门，一拉门闩，一个人倒了进来。

巴喜喇嘛一看，见是个老妇人。老妇人身着又破又脏的蒙古夹袍，头上梳着两条辫子。

巴喜喇嘛的手放在老妇人鼻子上，觉得老妇人还有气，巴喜喇嘛口诵佛号："阿弥陀佛，善哉，善哉。女施主？女施主？……"他连唤好几声，老妇人没有反应。

巴喜喇嘛想把老妇人背到自己的禅房，可刚过天王殿，他又改变了主意，她是女，我是男，把她放到我的禅房多有不便。

巴喜喇嘛把老妇人背到西跨院水儿宿舍门前，他伸手敲门。水儿推开门惊道："四老爷爷，您这是……"

巴喜喇嘛道："水儿，这位女施主还有气。"

水儿和巴喜喇嘛把老妇人扶到炕上，水儿拉过自己的枕头，放在老妇人的头下；扯过自己的被子，给老妇人盖在身上；又往炉子里填了几块煤，炉子像火车头一样"呜呜呜"地着了起来。

巴喜喇嘛道："出家人扫地不伤蝼蚁命，爱惜飞蛾纱罩灯，救人一命，胜造七级浮屠。庙上的空屋子虽然不少，可是，天寒地冻，那些空屋子都没有生火，就让她暂时住在你这里吧。"

水儿点点头："四老爷爷放心，我给她熬点姜汤，多放点红糖。"

水儿把小铁锅放在炉子上，姜汤很快熬好了。水儿盛了一碗姜汤，她吹了吹，又尝了尝。姜汤不烫了，她端起姜汤，巴喜喇嘛用筷子撬开老妇人的嘴，给老妇人灌了下去。

不一会儿，老妇人醒了过来。老妇人见自己身上盖的被子干干净净，而自己却这么脏，她忙掀开被子，挣扎着要坐起来。

水儿劝道："老人家，您的身体还很虚弱，快躺下，快躺下。"

老妇人热泪盈眶："我没事了，就是，就是三天没吃东西了……"

水儿给老妇人做了一大碗面条。一般人吃面条、喝面汤都发出"呼噜呼噜"的声响，可三天没吃东西的老妇人不但没有，而且，细嚼慢咽，毫无街头乞丐那般狼吞虎咽。巴喜喇嘛挑来两担水，又到巴家老宅郝香香那里找来几件衣服。老妇人洗了头，换上郝香香的衣服，水儿发觉老妇人身上有一种常人没有的气质。

水儿问老妇人叫什么名字，家在哪里，身边还有什么人。

老妇人沉默半晌才说："我叫阿茹，没有家，二十多年前，我儿子丢了，我找遍了草原，不知进了多少庙，拜了多少佛，但都没有消息。不久前，我做了一个梦，梦见神佛把我儿子送了回来，我想进庙烧香，却倒在了包头召门前。"

水儿不禁想到自己的舅舅麻崇德，舅舅三岁时被人绑架，也是至今下落不明。几年前，冯健的父亲冯来福说舅舅当年被卖到了达拉特旗王府，为逊王和大福晋充当"带子"，水儿几次想到富三元巷中段彭贵人巷王府大院问问四福晋。可那时四福晋跟日本人打得火热，水儿担心舅舅也与日本人同流合污，她没有去。抗战胜利后，水儿去了两趟，可是，两次都遇见四福晋跟国民政府的接收大员猜拳行令。一听水儿来找人，王府的人就把水儿赶走了。

水儿心中暗恨父亲王富贵造孽太多，阿茹老人命苦，自己的命何尝不苦！同病相怜，水儿掉下了眼泪。

时间过得飞快，转眼就是两年。

包头召小学早就复课了。阿茹老人每天帮水儿做饭，收拾屋里，其他时间阿茹老人就到包头召大殿，或给佛灯填油，或打扫卫生，这些事做完了，她就跪在宗喀巴佛像前，一祷告就是几个小时。

虽然冯来福救了巴振华，可是，在水儿心中，冯来福毕竟是汉奸。水儿不想找个汉奸做自己的公爹，何况当年冯来福也参与了绑架舅舅，因此，水儿对冯健降温了。日本投降后，傅作义部进入包头城，冯来福摇身一变，成了国民政府警察局的局长。水儿心中疑惑，她看不懂形势，对冯健若即若离。

冯健成了政府职员，不过，他仍住在包头召，冯健不想离水儿太远。

冯健拿着两张电影票，兴冲冲地推开水儿的门："水儿，今天晚上中山纪念堂上映《天堂春梦》，这是一部反映抗战胜利的影片，人们都说好看。我买了两张票，咱们一起去看电影？"

中山纪念堂位于今天的东河区通顺东街，现在叫人民影城。1949 年前的通顺东街叫涂师爷巷，中山纪念堂原是日军侵占包头时建的一座娱乐场所，日本人称其为"大东亚圣战俱乐部"，当时，除了日本人和汉奸特务之外，普通中国人是不准入内的。抗日战争胜利后，傅作义将这里改为中山纪念堂，主要播放电影，供市民休闲娱乐。

水儿摇了摇头："我不舒服。"

冯健马上说："我们雇辆车。"

水儿又摇了摇头："我不想去。"

冯健神情黯淡："水儿，你是不是不喜欢我了？"

水儿没有正面回答："你走吧，我不舒服，我要躺一会儿。"

冯健还要说什么，阿茹老人走来："啊，冯公子。"

冯健张了张嘴，讪讪地走了。

望着冯健远远的背景，阿茹老人道："这小伙子挺不错的。"

水儿惘然若失，无力地趴在炕上。

王富贵身着笔挺的军装，肩上扛着少将的牌子，身后跟着一个副官，副官怀中抱一个精致的皮箱，两人来到水儿宿舍门前。

阿茹老人见王富贵不由得一愣："你是……"

王富贵没有留意阿茹老人，他眼睛往屋里看，见水儿趴在炕上，王富贵满面带笑："水儿，爹看你来了。"

说着，王富贵走进屋中。

水儿站起身，冷冷地问："你来干什么？"

王富贵有些尴尬，一回头，见阿茹老人站在一旁，王富贵居高临下："你是谁？"

阿茹老人的眉毛动了动："阿弥陀佛，我是服侍神佛的。"

王富贵手一扬："你去服侍神佛吧，这没你的事。"

水儿愠道："这是我的屋，你凭什么赶人走？"水儿对阿茹老人说，"老人家，别走，就在这儿！"

王富贵口气马上缓和下来，他对阿茹老人说："老人家，我们父女好久不见了，你能回避一下吗？"

阿茹老人转过身，推开门向大殿走去。到了大殿门口，又回头向水儿的宿舍望了两眼。

王富贵悄悄地对水儿说："两年前，爹说服绥西自治联军六个师向国民政府投诚，爹立了大功，被委任为包头警备司令部少将副司令。后来，负责查抄日伪统治时期留下的财产，这两年，爹存了些好东西，今天都给你拿来了。"

王富贵向外招了招手，副官抱着皮箱走来，王富贵接过皮箱，副官退出。王富贵关上门，打开皮箱，里面都是首饰——红的是珊瑚，绿的是翡翠，蓝的是宝石，黄的是金子，白的是珍珠……光彩夺目，令人眼花缭乱。

王富贵讨好似的说："这都是爹给你的。"

水儿看也不看："拿走！我不要这些不干净的东西。"

王富贵低声下气："这都是从日伪特务手里缴获的，怎么能说不干不净呢？水儿，你别生爹的气了，爹再不好，也是你爹呀……"说着王富贵的眼圈红了。

不知为什么，两次去达拉特旗王府的情景浮现眼前，母亲被土匪强暴的记忆浮现眼前，母亲撞死的情景浮现眼前……水儿大吼："我没有你这样的爹！"

王富贵眼泪掉了下来，哽咽道："水儿，人不能活第二次，如果能，爹一定好好对你娘，一定不辜负你娘……你是爹的亲生骨肉，你就不能原谅爹吗？这么多年了，你没叫过一声爹，爹没有别的奢望，只求你叫一声爹，只要你叫一声，爹死都愿意。水儿，难道你就不能理解爹的心吗？"

水儿的泪水在眼眶中打转，她强忍着没有掉下来："你走吧，不然，我会说出更绝情的话！"

水儿的声音低沉有力，她重重地关上皮箱，将皮箱塞到王富贵手中，把王富贵推出门外。这一连串的举动前后不过几秒，王富贵还没有反应过来，门"咣当"关上了。水儿倚在门框上，泪如泉涌。

王富贵站在门外，茫然无措，副官忙接过皮箱。王富贵的腿像戴着千斤脚镣，每走一步都特别吃力。

王富贵不知是怎么出了包头召的，一辆吉普车驶过来，副官给王富贵开了车的后门，王富贵上了车，副官坐在副驾驶的位置上。王富贵头仰靠在坐椅上，心如刀剜一般。我当初怎么那样对待麻鹊？麻鹊是多么好的女人！我那么穷困，那么潦倒，麻鹊对我不离不弃。日子过好了，我当官了，却忘了结发妻子。我怎么那么混蛋？我真是太混蛋了，不怪水儿这样对我，脚上的泡都是自己走的，能怪谁呢？

泪水又流了下来，王富贵怕被副官看见，忙低下了头。

侵华日军司令部成了包头警备司令部。车在警备司令部门前停了下来，王富贵下了车，回到自己的办公室。他摘下帽子，副官接过去，把帽子挂在衣架上。副官给他倒了一盏茶，就出去了。

王富贵坐在办公桌前发呆，大约过了半个小时，传来"梆梆梆"的敲门声，王富贵稳了稳心神："进来。"

副官走了进来，他关上门，在王富贵耳边低声道："副司令，搜查队抓了五个共党嫌疑分子。"

王富贵一振，虽然自己是包头警备副司令，但国军信不信任自己还很难说。现在国共两党在东北和华北打得热火朝天，绥远虽然远离主战场，但抓捕共产党一刻也没放松，这可是自己立功的好机会，王富贵来了精神："审讯了没有？"

副官道："搜查队刚要审讯，其中一个女共党说她是您的老朋友，她要见您。"

王富贵一愣："老朋友？她叫什么名字？"

副官道："她说她叫李彤。"

"李彤？"王富贵记忆中没有叫李彤的女人，"走，看看去。"

审讯室中，一个中年女子双手被绑，旁边站着四个彪形大汉，屋里摆满了各种各样的刑具。

王富贵和副官一前一后走了进来，几个大汉毕恭毕敬。王富贵见中年女子身材高挑，体态偏瘦，脖子修长，眉清目秀，一口雪白的牙齿，虽然人到中年，但看上去仍很漂亮。

王富贵定睛一看，什么李彤？这不是巴锦秀嘛！省党部下达的共产党名单中，巴锦秀位列第五名，这可是一条大鱼！

王富贵把不快抛到脑后，心头一喜。

第二十四章

通常，活人和逝者的名字并刻在墓碑上时，要把活人的名字遮盖起来，等活人死后，才能将其露出。水儿心中疑惑，自己这位父亲到底要干什么？

1947 年 12 月，国民党把持的国民政府成立了华北五省"剿匪"总司令部，傅作义被任命为总司令，邓宝珊为副总司令。1948 年秋，辽沈战役打响。当时解放军东北野战军 70 万人，国军 55 万人，解放军占有很大优势。此时，傅作义坐镇北平，也就是今天的北京。傅作义控制 60 万大军，蒋介石电令傅作义增援东北。

如果傅作义出兵，东北野战军的优势就没有了。为配合辽沈战役，中央军委以杨成武为司令员、李井泉为政治委员，率 4.9 万解放军进攻绥远。

绥远是傅作义起家的地方。在这片土地上，傅作义拥有广泛的群众基础。但是，绥远也是傅作义的软肋，是国军华北地区防御体系中较为薄弱的地方，早在一年前，绥远驻军陆续调往东部的张家口和京津一带，集宁、归绥、包头等地防守空虚，尤其是包头，仅有 3000 国军。

中央军委的意图是抄傅作义的老家，迫使傅作义部不出关或少出关，以减轻东北野战军的压力，力求辽沈战役全胜。

解放军几万军队进入绥包地区，人吃马喂，日耗斗金，这就需要地方党组织往前线送粮、送水、送弹药。巴锦秀化名李彤进入包头城，她没有回包头召，而是在一个联络站召集党员，布置任务。

巴锦秀等五人正在开会，包头警备司令部的搜查队突然闯了进来，尽管巴锦秀事先把麻将摆在桌上，但是，搜查队仍觉得巴锦秀等人可疑，不容分说，把他们带到包头警备司令部审讯室。

巴锦秀等人都是包头地下党组织的骨干，掌握着共产党的大量秘密，一旦出现问题，对党造成的损失不可估量。

搜查队审讯巴锦秀，巴锦秀急中生智，她说自己是王富贵的老朋友。一听这话，搜查队犹豫起来，有人把这件事报告给王富贵的副官。副官知道王富贵年轻时相好的女子不少，立刻向王富贵报告。

王富贵刚要说话，巴锦秀开口道："王副司令，你不认识我了，我是李彤啊!"

王富贵皱了皱眉："你是谁?"

巴锦秀脸色坦然："王副司令可真是贵人多忘事啊，我是李彤，水儿一直叫我姑姑呢，你忘了吗?"

水儿叫巴锦秀姑姑? 王富贵眨了眨眼，他想起来，水儿的姥爷麻信死前，把水儿托付给巴振华，水儿拜巴振华为义父，巴锦秀是巴振华的妹妹，这么论，水儿可不叫巴锦秀姑姑吗?

王富贵一想，不对，巴锦秀突然提起水儿，这是什么意思? 巴锦秀是共产党，难道水儿也是共产党?

王富贵怕巴锦秀说出对水儿不利的话，他假戏真唱："噢，我想起来了，想起来了，对对对，你是李彤……"

巴锦秀一笑："王副司令，咱们也不是外人，是不是该给我松绑啊?"

王富贵支吾道："啊……松，松绑。"

两个彪形大汉上前把巴锦秀的绑绳解开，王富贵心中打鼓，我得好好问问，水儿到底是不是共产党? 如果水儿真是共产党，这事就难办了。

王富贵一摆手，让其他人退下。

审讯室里只剩了王富贵和巴锦秀两人，王富贵盯着巴锦秀："水儿跟你们有关系吗?"

王富贵是想问水儿是不是共产党，巴锦秀明白，她似是而非地答道："几年前，水儿给她娘烧纸，那三辆车上的衣物王副司令还记得吗？"

王富贵大惊："那三辆车上的衣物是你干的？"

巴锦秀摇了摇头："不，是水儿送来的。"

王富贵的汗下来了："怎么，水儿是你们的人吗？"

巴锦秀反问："王副司令希望她不是吗？"

就在这时，外面有人高声道："副司令长官驾到！"

一听副司令长官，王富贵知道是邓宝珊来了，他的心一下子提了上来，难道邓宝珊听到了什么风声？巴锦秀可千万不能把水儿供出来，可是，怎么才能不让她供出来呢？干脆，我给他来个杀人灭口，一枪崩了她！

外面喊"副司令长官驾到"，巴锦秀也听得清清楚楚，见王富贵手往腰里摸，顿感不妙，巴锦秀灵机一动，她压低声音道："王副司令，水儿还没叫你参吧？这个忙我可以帮。"

一句话点到了王富贵的痛处，王富贵手在枪上僵住了。瞬间王富贵也反应过来，巴锦秀是共产党的嫌疑分子，我不加审讯就把她打死，如果邓宝珊追问，我就是浑身是口，也说不清啊！

外面的脚步声由远而近，王富贵一时不知所措。巴锦秀有意提醒："我们几个人不过是打麻将消遣消遣，这算什么大事吗？"

王富贵顿开茅塞，对呀，把巴锦秀说成是打麻将的，那不就大事化小，小事化了了嘛！

王富贵心中豁然开朗，他的手迅速离开枪，转身跑了出去，面对邓宝珊立正敬礼："报告副司令长官，搜查队抓住几个打麻将的，我怀疑是共党，特来审讯室看看。"

邓宝珊没有还礼，一副心事重重的样子："到底是不是共党？"

王富贵道："不是，只是聚在一起打麻将的。"

邓宝珊没有多问，他一摆手："你跟我来。"

"是！"王富贵应道。

邓宝珊健步如风，匆匆地向警备司令部走去，他一边走，一边对王富

187

贵说："我要召开一个紧急会议，你马上通知团以上军官。"

邓宝珊是民国时期纵横西北几十年的智囊型人物，他早年加入孙中山领导的中国同盟会，辛亥革命时，曾参加新疆伊犁起义。抗日战争期间，任国民革命军第21军团长、晋陕绥边区总司令。多年驻守陕西榆林，数次到延安与共产党领导人会晤，对共产党主张的抗日民族统一战线十分赞同。抗战胜利后，作为国民党中央执行委员，邓宝珊不想卷入内战漩涡，他回到老家称病不出，在胡宗南再三催促下不得不返回榆林。被任命华北五省"剿匪"副总司令后，邓宝珊进驻包头。

1948年10月中旬，解放军华北野战军一部包围归绥，萨拉齐守敌不战而逃，退入包头。22日，解放军乘胜追击，兵至包头东郊沙尔沁，直逼包头城。

大兵压境，归绥、包头吃紧，邓宝珊急电请示傅作义。傅作义十分清楚，如今的解放军可不是两年前的土八路，他们的武器装备比国军差不了多少，而且，士气高涨，战斗力特别强，以目前包头城现有的兵力根本守不住，于是，他电示邓宝珊酌情而定。

邓宝珊把包头团以上军官召集到一起，摆在人们面前只有三条路：打、降、逃。打，众寡悬殊，必然是自取灭亡；降，绝大部分人肯定不同意，邓宝珊不敢轻易决定；那就只有逃了。

1948年10月22日深夜，邓宝珊带领国民党驻包部队和各机关要员弃城西去。23日，解放军兵不血刃进入包头市区。30日，中共包头市委、市政府成立，潘纪文任市委书记，李维中任市长。不过，新政府成立仅37天，解放军就全部撤离了包头。

为什么到嘴的肥肉又吐了出去呢？因为更重要的任务来了——平津战役打响。中共中央指示：华北野战军要与东北野战军一起攻打北平和天津。

辽沈战役自1948年9月12日开始，11月2日结束，历时52天。东北野战军以伤亡6.9万人的代价，歼灭国军47.2万人，其中毙伤国民党官兵5.68万人；俘虏32.43万人，反正及投诚6.49万人，起义2.6万人，俘虏少将以上高级军官186名。

东北野战军乘胜入关，林彪、罗荣桓、聂荣臻、刘亚楼指挥东北野战军和华北野战军百万大军兵困平津。国民党军兵败如山倒，傅作义见大势已去，他和邓宝珊决定接受解放军改编，这就是平津战役。平津战役自1948年11月29日开始，1949年1月31日结束，共63天，解放军伤亡3.9万人，消灭及改编国民党军队52万余人。

平津战役之前，淮海战役也打响了。淮海战役于1948年11月6日开始，1949年1月10日结束，历时65天，解放军以伤亡13.4万人的代价，消灭及改编国民党军队55.5万人。

三大战役之后，国民政府的作战部队只剩100万人了。在这100万人之中，绥远有8万多，虽然绥远只有8万大军，却是傅作义的精锐。当时人们流传一句顺口溜："傅作义，两只虎；孙兰峰，董其武。"

孙兰峰、董其武在抗日战争中，为中华民族立下赫赫战功。此时，董其武任国民政府绥远省主席、省保安司令，驻守归绥。孙兰峰任国民党第11兵团中将司令，驻守包头。

对于绥远，是和平改编还是用战争解决呢？

1949年3月5日，中国共产党七届二中全会在河北西柏坡召开，会上提出了"绥远方式"。傅作义一直在关注自己的部下，他问毛泽东，什么是绥远方式？毛泽东说："就是不用军事作战的一种方式。先划个停战协定线，让董其武慢慢做好他的内部工作。另一方面派个联络组，把铁路接通了，贸易起来，然后再看董其武将军他什么时候觉得可以举行起义，就什么时候起义。"

1949年4月，解放军百万雄师横渡长江。23日，解放军以摧枯拉朽之势攻入中华民国首都南京，绥远大部分国民政府要员的幻想破灭了。

6月8日，解放军与傅作义方面代表签订了《绥远和平协议》。其要点有七：一、划定双方临时分界线，停止敌对活动，剿除土匪，保护群众利益；二、平绥铁路由中国人民革命军事委员会铁道部统一管理，对董其武将军所属军政公用运输予以特殊照顾；三、双方互设贸易机构，互相进行自由贸易；四、中国人民银行在归绥设立办事处，银元、银元券与人民币在董方区域自由流通；五、解放军在归绥设立联络处，董方需保证安全；

六、解放区书报在董方自由流通；七、董方停止一切扩军措施，解散特务组织，令其离绥。

这其中最关键的是第二条和第五条——从北平到包头的铁路全部由解放军管理，解放军在绥远省会归绥设立联络处。如此一来，解放军就已经深入到董其武的腹地了。《绥远和平协议》签订之后，绥远起义也就成了公开的秘密。

南京失守后，中华民国以广州为陪都。广州国民政府在南，绥远在北，绥远的战略地位突显出来。因此，国民政府竭力想把绥远拉过去，国共两党对于绥远开始了最后的争夺，包头虽不是绥远省会，但其形势较省会归绥还要严峻。

此时的包头有两个实权人物，其一是国民党第 11 兵团中将司令孙兰峰，其二是国民党 111 军中将军长刘万春，两个人都力主与解放军血战到底。

7 月初，国民政府派军令部长徐永昌和空军总司令王叔铭飞到河套陕坝，约董其武、孙兰峰、刘万春等人见面。这使包头本已复杂的形势更加复杂了。孙兰峰和刘万春摩拳擦掌，一时间，包头成了反对和平协议的中心。

战火纷飞，民不聊生，沙尔沁的蒙民走死逃亡。没有人，衙门就没有收入；没有收入，就无力发饷；发不出饷，差役都不来上班。清朝的章盖是从四品武官，可如今不要说乡长，巴奎斌这位世袭章盖连村长也不如了。巴奎斌家境日益艰难，巴锦秀鼓励这位本家叔叔巴奎斌出来卖菜。

巴奎斌是章盖，一时放不下自己的身价。巴锦秀悄悄地告诉叔叔巴奎斌，孙兰峰和刘万春的便衣在街上到处乱窜，卖菜不是目的，目的是给往来包头召的革命同志放哨。

巴奎斌早就知道巴锦秀是共产党的领导，他又惊又喜："那我去！"

仲夏的太阳迟迟不落，包头召小学已经放学了，蒙民生计会和街公所也下班了，包头召东西两个跨院安静下来。

巴奎斌身着汉民的短衣小褂，头上戴着一顶大草帽，草帽几乎遮住了整张脸。他站在包头召墙外西南角的十字路口。巴奎斌放下担子，把菜摆了出来。巴奎斌本来就张不开嘴叫卖，也不会招揽顾客。巴锦秀正是看到了这一点，她告诉巴奎斌，如果发现可疑情况，就大声喊："卖菜喽！新鲜的蔬菜。"

藏传佛教的建筑有个突出的特点，就是窗户少而小，墙壁很厚。正因为如此，包头召大殿的保温性能很好——冬天暖，夏天凉。

巴锦秀和水儿走进包头召大殿，巴锦秀环视一下经堂，就带水儿上了二楼。

巴锦秀的目光透过窗户扫视包头召大院，院中静谧无声。巴锦秀转过头来对水儿说："绥远起义已经到了关键时刻，可是，徐永昌对你父亲……对不起，水儿，秀儿姑姑不应该触碰你的伤疤。"

水儿注视着巴锦秀："秀儿姑姑，没事的，你说吧。"

巴锦秀温情地说："那就说你吧。天下间什么事都可以选择，只有父母是无法选择的。秀儿姑姑知道，如果让你选择，你一定不会选择他作为你的父亲。可是，现实总是不能令人如愿。"

水儿低下头，神色幽怨："母亲……太惨了，过去的事就像刻在我的脑海里，想抠都抠不掉……我太恨他了。"水儿哽咽了。

巴锦秀道："可是，他是你父亲的事却无法改变，你说是吗？"

水儿沉吟半晌，她抬起头："秀儿姑姑，你说吧，组织上让我做什么？"

大殿的一楼，阿茹老人擦完宗喀巴佛像后面的灰尘，又转到佛前擦拭供桌，忽听楼上有说话声，她的手停了下来，眼睛往上看。

楼上传来巴锦秀的声音："那秀儿姑姑就直说了——徐永昌向王富贵许愿，给他甘肃省副主席的职位，让他暗杀进步人士，破坏绥远起义。组织上想派你打入包头警备司令部，利用王富贵对你的疼爱监视他的一举一动，阻止他投向广州的国民政府，最好是把他拉到我们这边来。姑姑知道，这有些难为你，不过，这是党的事业，姑姑相信，你会经得起考验的。"

水儿郑重地说："我是党的人，我听党的！"

阿茹老人心惊肉跳，她悄悄地走向经堂的侧门，推开门，离开了。

楼上，巴锦秀拍了拍水儿的肩："好孩子！王富贵虽然做了很多坏事，但他良心未泯。这段时间，王富贵一直在为你娘修坟。我想，你娘的坟修好了，他一定会叫你同去祭奠你娘，你可见机行事……"

五原县城东北三十里的半山腰上修起了一个长方形的陵园，陵园四周是一圈汉白玉围栏，围栏里种着松柏树。围栏南侧有个大门，一条台阶小路从山下通向这里。陵园深处有一座高大的坟墓，坟前立着一块大理石墓碑。墓碑前摆着两排花圈，中间是纸人、纸牛、纸屋以及纸元宝等。墓碑上竖着刻了几行字："先父王公富贵慈母王氏麻鹊之墓"，落款是"女儿王水儿泣立"。字上涂着金粉，闪闪发光。

水儿随王富贵来到墓碑前，副官站在十步之外。

水儿一看墓碑上的字就是一愣，这碑文怎么是我的口气？而且，"王公富贵"和"慈母王氏麻鹊"两行字同在阳光下。通常，活人和逝者的名字并刻在墓碑上时，要把活人的名字遮盖起来，等活人死后，才能将其露出。水儿心中疑惑，自己这位父亲到底要干什么？

第二十五章

泽国江山入战图，生民何计乐樵苏。凭君莫话封侯事，一将功成万骨枯。中国人打中国人，亲者痛，仇者快。有人竟为此津津乐道，悲哀呀，悲哀！

王富贵一身黑衣，他来到坟前"扑通"跪倒，未曾说话，眼泪先掉了下来。

"鹃子，我那贤惠的妻子啊，我对不起你呀——当年，我见你年轻漂亮，便对你产生了爱慕之情，可是，你家门第高贵，有钱有势，我那时是个要饭的，你不可能看上我，你父亲也不可能把你嫁给我。为了得到你，我叫结拜的兄弟把你绑架，我假装正人君子，把你救了。你被蒙在鼓里，为报答我，你以身相许。可是，你父亲看出破绽，把我赶出你家，你不嫌我贫穷，不嫌我卑贱，甘愿放弃富裕的生活，跟我住破窑洞，过着有上顿没下顿的日子。从那时起，我就想混出个人样来，给你幸福，给你快乐。我想去偷，我想去抢，可你不答应，你劝我做个好人，凭力气挣钱，心里安生。我到石拐下煤窑，我到码头扛货包，还给有钱人看家护院。可是，我拼死拼活两年多，挣来的钱却连给你买件像样的衣服都不够。我不得不从军，找靠山，认干爹。我终于在军中得到了提升，可是，升了官的我，经不住诱惑，我把你扔在一边，又娶了三个女人。你带着水儿步行近百里来找我，你闯进新房，推倒桌子，打翻红烛，扯下帷帐。为了在那女人面前抖威风，我打了你。你万念俱灰，离开军营，撞树而亡。那三个女人没有给我生下一个孩子，这是苍天有眼，老天爷有眼，神佛有眼，这是我造的孽，我罪有应得呀……"

王富贵句句出于肺腑，他哭得跟泪人一般。水儿跪在王富贵的侧后方给母亲烧纸钱，她知道王富贵不是装的，可一提起这些往事，眼前又浮现母亲被土匪强暴的情景，水儿心如刀绞，她对王富贵既怜又恨，难以名状。

王富贵拍着墓碑哭诉："鹃子，我那苦命的妻子，我那苦命的媳妇，我不是人，我是混蛋，我是畜生，我连畜生都不如。我对不起你，对不起水儿，水儿不叫我爹是对的，我不怨孩子，我只怨自己。鹃子，我不求你原谅我，我只求你能收留我，让我到阴曹地府去伺候你，我愿意给你当牛做马，服侍你下辈子，下下辈子。贤妻，你的阴魂不散，请你等等我，我这就去找你……"

水儿早已泪流满面了，突然听到王富贵说"我这就去找你"，水儿刹那间想到墓碑上暴露的"王公富贵"，难道他要为母亲殉情？

水儿一抬头，王富贵已经站了起来，只见王富贵往后退了几步，一低头就要撞向墓碑。

虽然水儿恨王富贵，但毕竟血浓于水，父女连心，瞬间，亲情战胜了怨恨。水儿紧爬几步抱住王富贵的腿："你要干什么？"

王富贵泣不成声："水儿，你是个好孩子，我不配做你爹，我造的孽太深了，我不求你原谅，我只求你叫我一声爹，行吗？"

水儿如同泪人，她嘴唇嚅动着。

王富贵注视着水儿的嘴，他两只耳朵都竖了起来，全身的每一处神经都绷了起来，然而，水儿没有叫出来："……你，你给我时间，再给我一段时间。"

王富贵的眼睛由明变暗，又暗，更暗……他绝望了。

王富贵挣脱水儿，再次向墓碑撞去，副官一把抱住他的腰："副司令，小姐并没说不叫你爹，小姐让你给她时间，你还有希望，你是有希望的，副司令……"

王富贵的眼睛由暗变亮，他望着水儿喃喃地说："我还有希望？我还有希望吗？"

水儿哽咽得说不出话来，只是一个劲儿地点头。

回来的路上，巴锦秀的叮咛在耳边响起，水儿对王富贵说："我想从包头召搬出来，和你住在一起，行吗？"

王富贵如获大赦一般，他搓着手，连声道："好！太好啦！爹求之不得！求之不得呀！"

王富贵的住宅在包头警备司令部院内，那是一座二层小别墅。小别墅的一楼是客厅和厨房，他的三位夫人都住在二楼。王富贵把二楼西侧腾出来，他和水儿住在南北对门。王富贵执意让水儿住阳面，他住阴面，他说女孩怕冷怕潮。水儿推辞不过，只得从命。

渐渐地，水儿对包头警备司令部熟悉起来。

夜已经深了，王富贵还没有回来。水儿悄悄下楼，来到警备司令部大楼。包头警备司令部走廊里灯光明亮，王富贵办公室的门开着。

副官迎了上来，水儿微笑着摆手，示意副官不要说话。副官没有作声，水儿走进王富贵的办公室，王富贵正在看案上的文件，他以为是副官，没有抬头。

水儿给王富贵的茶碗续了点水，她轻轻地说："已经十一点了，该休息了。"

王富贵发现水儿，忙站了起来，笑容像鲜花一样灿烂，虽然水儿没叫他爹，但这关切的话语让他从心里往外感到温暖："好好好，爹这就休息，这就休息。"

王富贵合上文件，蹲下身子，一手要开保险柜，一手拿着文件，准备把文件放进保险柜中。水儿伸手要替王富贵拿文件："我来。"

王富贵犹豫一下，但笑了笑，还是给了水儿。

水儿低头一看，见文件上标着"绝密"两个字，水儿翻开文件，见标题上赫然写着六个大字——

水儿大惊，正要往下看，王富贵已经打开了保险柜，他从水儿手里拿过文件，迅速放入保险柜中。

风刮了一夜，仍没有停的迹象。天空中，流云奔跑着，咆哮着，翻滚着，本是仲夏季节，包头人却都感到阵阵寒意。年轻人胳膊上起了一层鸡皮疙瘩，年老者竟然穿上了秋天的夹袄。

太阳时隐时现，天已过午，四美元茶馆里仍没有空位。烧卖的香味和人们抽的烟混在一起，许多食客早就吃完了，可是，谁也不走，都在听四个中年男人聊天。四个人一个白脸，一个黄脸，一个灰脸，一个黑脸。白脸人脸白得如同台上唱戏的，黄脸人脸黄得像得了痨病，灰脸人脸灰得像浮了一层土，黑脸人脸黑得像从煤窑里刚出来。

四个人喝着茶，聊着天，声音越来越高。

白脸人道："知道不？傅作义虽然把北平和天津给了共产党，可共产党不待见他，把他给软禁了。"

灰脸人说："董其武要把绥远卖给共产党，绥远怎么能跟平津相比？你看着，他的下场比傅作义还要惨！"

黑脸人连连摆手："不对，不对，傅作义是诈降，他是在共产党身边卧底呢！他是奉蒋总统密令打入共产党内部的，傅作义将军要和蒋总统给共产党来个南北夹击。现在是万事俱备，只欠东风，就等第三次世界大战爆发了。"

黄脸人道："对对对，我也听说了，美国又给国民政府一批新式武器，连原子弹都给了，共产党长不了。"

黑脸人一指自己的鼻子："你们知道毛泽东是什么出身？教书匠。蒋总统是什么？那是黄埔军校的校长。秀才造反，十年不成。谁胜谁败，用脚趾头都能想明白，你们哪，就等着看热闹吧！"

巴振华坐在桌边静静地听着。突然听有人口诵佛号，声如黄钟："阿弥陀佛，宁为太平犬，不做离乱人。打起仗来，倒霉的永远都是老百姓啊！……"

在屋里的东北角站起了一个老喇嘛，人们的目光"刷"地都聚焦在他的身上，见这个喇嘛身披紫红色僧袍，手捻佛珠，眼睛炯炯放光。白黄灰黑四个人你看看我，我看看你，都没词儿了。

巴振华扭头望去，几个人挡住了他的视线。

老喇嘛袍袖一甩，吟道："泽国江山入战图，生民何计乐樵苏。凭君莫话封侯事，一将功成万骨枯。中国人打中国人，亲者痛，仇者快。有人竟为此津津乐道，悲哀呀，悲哀！阿弥陀佛……"

说着，老喇嘛走出门去。

这声音很像宝力格喇嘛，巴振华揉了揉浑浊的眼睛，但还是模模糊糊看不清楚，他一下子站了起来。

自从巴振华被日本鬼子灌了煤油，他一着急就剧烈地咳嗽，"咳，咳咳……"还有两个烧卖没吃完，巴振华扔下筷子，付了账，匆匆追了出去。巴振华睁大眼睛，跌跌撞撞地出了四美元，可到外面一看，哪里还有宝力格喇嘛的影子？

巴振华茫然地伫立在街头，他确信，此人就是宝力格喇嘛。巴振华赞叹，大师心系华夏苍生，多么可敬的老人！

巴振华正在四下张望，一支游行队伍举着标语，喊着口号走来——

"反对投降！"

"反对出卖绥远！"

"与共匪血战到底！"

围观人群越聚越多。

巴振华眉头越皱越紧，忽然觉得有人拉自己的衣襟，回头一看，见是妹妹巴锦秀。巴锦秀低声说："哥，你来。"

巴锦秀把巴振华带回包头召，兄妹二人进了巴振华的办公室，巴锦秀说："哥，包头反对绥远和平起义的势力相当猖獗，他们散布谣言，煽风点火，甚至还联络一些无业游民和不明真相的群众上街游行。上级指示，我们要和这些顽固势力进行针锋相对的斗争。"

"咳，咳，咳……"巴振华又剧烈地咳嗽起来。

巴锦秀捶着巴振华的后背："哥，不要着急，有话慢慢说。"

巴振华咳了一会儿才上来这口气，他脸憋得通红："秀儿，老百姓太苦了，中国人不能再打中国人了！"

巴锦秀点点头："哥，我们与反动势力斗争就是为了维护绥远和平，为了百姓免受战乱之苦！你想，如果任由这些人煽动，国民党和共产党必然要在绥远大打出手，战火燃起，难免伤及无辜的老百姓。"

巴振华觉得巴锦秀说的话很像宝力格喇嘛，便问："要我做什么？"

巴锦秀道："我们正在组织一支游行队伍，声援董其武，促使董其武早日举行和平起义，但目前规模还不够大，在气势上还不能把顽固势力压下去。现在，包头的工商、文化界都行动起来了，只是教育界大家都不太熟。你当了多年校长，在包头教育界有很高的威信，组织上想请你出面，把城里的几所中学都发动起来。"

新中国成立之前，中小学生的年龄都偏大，十六七岁的初中生不在少数，甚至有娶妻生子的还在上小学。

巴振华点点头："好吧！"他突然想到姐吉云娘，"秀儿，近来有没有姐吉和侄儿的消息？"

巴锦秀轻轻地摇了摇头："组织上还在帮我们查找。"

黄昏把包头召大殿涂上一层金色。冯健已经有段时间没有回包头召了，一进包头召大门，他连自己的屋也没进，直奔西跨院水儿的宿舍。

冯健敲了敲门，屋里没有回应。冯健轻轻地推开门，室内空无一人，冯健发现，水儿的被褥和日常用品都不见了。

冯健想去问问阿茹老人，他迈大步向大殿走去。

阿茹老人的心如同一扇紧闭的门，虽然她和水儿处得跟亲人一般，但水儿也只知道她叫阿茹，对阿茹老人的身世一无所知。阿茹老人每天跪在宗喀巴佛像前叨叨念念，说得最多的就是"儿子"，可是，她儿子在哪儿，叫什么名字，无人知晓。

大殿的门虚掩着，冯健刚要推门，里面传来说话声——

"我给你一笔钱，足够你后半辈子用了，你马上离开包头。"一个男人用命令的口气说。

"不，我要等我儿子，我哪里也不去。"阿茹老人不卑不亢。

"你儿子早就死了。"男人生硬地说。

"不会的,我潜心向佛,宗喀巴神佛一定会保佑我的儿子,我儿子不会死的!"阿茹老人非常执着。

"你怎么这么死心眼儿?他也不是你亲生的,你想认他,他想认你吗?你这不是老糊涂了吗?"男人不耐烦地训斥。

"不!他虽然不是我身上掉下来的肉,可他就是我的亲生儿子。"阿茹老人反驳。

冯健从门缝往里看,见一个身着黑色长衫的男人站在阿茹老人面前,冯健虽然只看到那男人的斜背影,但还是认了出来——王富贵!

王富贵发现门外有人,不由得往腰里摸:"谁?"

冯健走了进来,他跟王富贵打着招呼:"王副司令,是我,晚辈冯健。"

王富贵知道冯健是冯来福的儿子,也知道他和水儿一起吃过饭,看过电影。见小伙子文质彬彬,相貌堂堂,心中稍许安慰。但想到冯来福那仇恨的目光,王富贵对冯健便生三分忌惮。

"噢,是冯健哪……"王富贵想说"吓我一跳",但他没说出口,自己是包头警备司令部的少将副司令,来个年轻后生就吓自己一跳,既失身份,又说明心中有鬼。

王富贵干咳两下,一时不知该说点什么。

冯健急于见到水儿,他问阿茹老人:"老人家,水儿去哪儿了?"

阿茹老人望着王富贵:"你问他。"语气中带着不满。

王富贵勉强一笑:"啊,我把水儿接走了。"

"水儿在哪儿?"冯健追问。

"水儿,水儿不在……去,去归绥了……"王富贵没有正面回答,他又支吾道,"啊,等她回来,我让她约你一起看电影。"

冯健看出王富贵说的不是真话,出于礼貌,他道:"谢谢王副司令。"

王富贵假意地笑了笑,转身离开了包头召。

巴振华想先把包头召小学学生的家长发动起来,然后再到全市各中学游说动员。

包头召小学的百余名学生列队在操场上，巴振华站在前面："同学们，政府官员贪污腐化，物价暴涨，民不聊生。可是，连日来，城里的顽固分子纠集一些地痞流氓举行游行，给国军施加压力，妄图与解放军血战到底，把我们当炮灰，把我们的亲人当炮灰，把我们的家当炮灰，把包头城当炮灰。我们答不答应？"

有老师带头喊："不答应！不答应！"

全体师生高呼："不答应！不答应！"

巴振华高呼："对，我们坚决不答应！"

众人高呼："坚决不答应！坚决不答应！"

巴振华道："好！过几天，我们要和全市的工商、文化界共同举行游行，反击那些主战的顽固分子，维护包头和平，维护绥远和平。你们还小，就不要参加了，你们可以动员你们的父亲、母亲、哥哥、姐姐，请他们参加。"

一个学生道："我让我爸参加。"

又一个学生道："我让我妈参加。"

"我让我哥哥参加。"

"我让我姐姐参加……"

巴振华道："好！我等着你们的消息。"

第二十六章

　　如果不是她，我儿子绝不可能受这么重的伤。王富贵是我的克星，难道他的女儿也成了我儿子的克星？看来，我们两家是前世的冤家，今世的对头！

　　伊克昭盟是鄂尔多斯市的前身。抗日战争时期，这个地区有所学校，叫伊克昭盟中学。因为学校被日军飞机炸毁，伊克昭盟中学成了一所流亡学校。抗战胜利，国民政府拨款重建，后因内战爆发，学校一直没盖起来，伊克昭盟中学暂驻包头。伊克昭盟中学有九个班，蒙汉师生达 500 多人。这所中学的校长是巴振华北京蒙藏学校的校友，两个人相交至厚。巴振华把游行的事跟校长一说，校长当即表示同意。巴振华又去绥远省立第二中学，该校 1949 年后改为包头一中，校领导也答应参加游行。

　　全市各中学都被巴振华发动起来了，师生们赶制标语、旗帜，情绪高涨。

　　上午十点，主战顽固分子的游行队伍从西门大街向东而来，这些人一个个歪戴着帽子，斜睁着眼睛，打着标语，喊着口号。

　　此时，工商、文化界游行队伍也出动了，巴锦秀走在人群之间，沿着东门大街往西走。快到财神庙时，巴锦秀见对方浩浩荡荡，趾高气扬，不可一世。再看看自己这边，人数连对方的一半也没有。

巴锦秀心中着急，哥哥怎么搞的，各中学的队伍怎么还没来？

巴锦秀正在四下张望，北边的巷子里走出一支游行队伍，前面的人拉着"反对战争""维护包头和平"的横幅，后面的人手里举着小旗，走在队前的正是巴振华。

巴锦秀脸上绽出笑容，哥哥终于来了。可再一看，巴锦秀愣住了，见巴振华的身后只有水儿等几个老师和几十名学生家长。

水儿正喊着口号，冯健从巷子深处跑来："水儿，这么大事，你怎么不叫我？"

这种场合能见到冯健，水儿冰封的心融化了："你也想参加反战游行？"

冯健睁大眼睛："当然！"

水儿对冯健冷淡了很长时间，可冯健对她痴情不减，水儿很是感动。水儿想，因为讨厌冯来福而疏远冯健，我这不是太傻了嘛！我爱的是冯健，与我终生相守的是冯健，而不是他的父亲冯来福。水儿心中很是愧疚，她喜盈盈地说："你来得正好。"

两支队伍汇合一处，巴锦秀问巴振华："哥，其他学校的游行队伍呢？"

巴振华脸色苍白，一着急，又剧烈地咳嗽起来。

水儿一边给巴振华捶后背，一边向巴锦秀解释："姑姑，今天一早，不知什么人在全城各学校门口都挂了手榴弹。学校担心出事，都不来了。"

巴锦秀大惊，这肯定是顽固分子搞的伎俩，她骂了一句："卑鄙！"

巴锦秀这边的人数不及西边，顽固分子更加嚣张，那些人高声道——

"打倒共匪！"

"反对投降！"

"与共军血战到底！"

巴锦秀也不示弱，她带头喊口号："反对战争！"

水儿、冯健以及巴振华等人随之同呼："反对战争！"

巴锦秀又道："不当炮灰！"

人们又呼："不当炮灰！"

巴锦秀再呼："坚决维护包头和平！"

众人再呼："坚决维护包头和平！"

一方主战，一方主和，两支队伍相遇，冲突不可避免。顽固分子早有准备，他们仗着人多势众，或抽出短刀，或拔出匕首，冲进巴振华、巴锦秀这边的游行队伍，他们见人就砍，逢人便刺。巴振华和巴锦秀等人以木棒、石块和拳头反击，不多时，顽固派就占了上风。

现场一片混乱，巴振华和巴锦秀被地痞流氓冲散，巴振华"咳咳"不止。

巴锦秀这边倒下很多人，对方更加猖狂，四下追打，眼看巴锦秀这边的人越来越少，冯健急中生智，他往队前一站，举起铁喇叭筒高喊："我是包头市警察局局长冯来福的儿子冯健，你们都住手！"

水儿得到启发，她也站在冯健身边，举起铁喇叭筒："我是警备司令部副司令王富贵的女儿王水儿，我看你们哪个敢上！"

顽固分子一下子被震住了，这些人你看看我，我看看你，这个问那个，那个问这个——

"哎，冯局长儿子怎么站到了那边？"

"是啊，王副司令的女儿也跑到了那边。"

一个膀子上刺着黑蜘蛛的汉子问身边的人："你们谁认识冯局长的儿子？"

有人道："我在冯局长办公室里见过那小伙子。"

黑蜘蛛又问："你们谁认识王副司令的女儿？"

又有人道："我看见那姑娘和王副司令坐过一辆车。"

黑蜘蛛眼睛转了转，腮边的肌肉鼓了起来："难道进过冯局长办公室的就是他儿子吗？难道坐过王副司令车的人就是他女儿吗？什么冯局长儿子，王副司令女儿，都是假的！他们打不过我们，想跟我们耍花招，弟兄们，不要上他们的当，给我冲！"

听了黑蜘蛛的蛊惑，一些地痞流氓往上就闯，有人一刀砍向冯健，冯健往旁一闪，这刀落在大臂上，冯健一阵剧痛，不由得往后一退，后边一个顽固分子举刀就刺。水儿见冯健有危险，她抓过冯健的衣襟猛地一拉，可还是慢了点，冯健的后胸挨了一刀，鲜血汩汩而出。冯健紧抢几步，脚下不知被什么绊了一下，"扑通"摔倒，眼镜落地。

水儿俯下身，捡起眼镜给冯健戴上："冯健，你怎么样？"

又一个流氓举匕首向水儿背后扎来，倒在地上的冯健见那流氓对水儿下手，他大叫一声："水儿，小心！"

冯健不顾伤痛，从地上一跃而起，扑向水儿，两个人同时跌倒，匕首在水儿背上划出一道血痕。

几个流氓一拥齐上，对水儿和冯健连踢带踹，冯健对自己的疼痛全然不顾，他把水儿扑到身下，用自己的身体护住水儿的头。拳脚棍棒雨点般落到冯健身上，片刻，冯健就失去了知觉。

"啪啪啪"，三声枪响，冯来福带警察从北面冲来。"啪啪啪"，又是三声枪响，王富贵带军队从南面冲来。

"警察来了！"

"军队来了！"

"住手！"警察高喊。

"住手！"军队高喊。

地痞流氓闻声不再打了，警察和军队冲入人群。

水儿从冯健的身下钻了出来，见冯健两眼微睁，气息奄奄，她抱起冯健的头哭喊："冯健！冯健！……"

冯来福跑了过来，见儿子都成血人了，可把他心疼坏了："儿子！儿子！"

冯健毫无反应。

冯来福大吼："快送医院！"

几个警察上前要抬冯健，巴锦秀搀着巴振华走来，巴振华一边剧烈地咳嗽，一边说："别！别动……"

巴锦秀也说："冯健伤得太重了，不能这么抬，要门板，快去找门板！"

冯来福也了解一些急救常识，只是他爱子心切，大脑一时出现空白，听巴锦秀这么说，他如梦方醒，忙对警察命道："快去找门板！"

巴锦秀见水儿衣服划破，后背流血，惊道："水儿，你受伤啦！"

水儿的心都在冯健身上，对自己的伤并无察觉："姑姑，我没事。"

"咳咳咳……"巴振华浑浊的眼睛也发现了水儿的伤，仿佛这刀扎在他的心上："水儿，你在流血……"

巴振华推开巴锦秀，急忙脱下自己的衬衫，上前要给水儿包扎。

水儿仍没感觉，她安慰巴振华："爹，我没事。"

王富贵挤了过来，听见水儿叫巴振华"爹"，王富贵的心就像打开了五味瓶，酸甜苦辣咸什么味都有。见水儿后背流血，王富贵心如刀剜。

王富贵曾用刀割过自己的肉，对他本人来说，流血跟流汗差不多，可水儿是他的心尖，不要说水儿受伤，就是水儿扎根刺他都心疼好几天。

王富贵像一头狂狮："水儿，是谁伤了你？"

水儿站起身，眼睛搜寻着，见黑蜘蛛正在往人群里藏，水儿用手一指："就是那个胳膊上文着黑蜘蛛的人！"

黑蜘蛛见水儿指他，转身就跑。

王富贵暴怒，拔出手枪，"啪啪啪……"黑蜘蛛后心涌出几股血，脚跟往起翘了翘，像木桩子一样倒在地上。

王富贵歇斯底里地大叫："把这些流氓通通抓起来！"

军队往上一闯，地痞流氓抱头鼠窜。

冯健和水儿同时被送进医院，水儿看着冯健被推进手术室。在王富贵、巴振华、巴锦秀和医生的劝说下，水儿进了另一间手术室。

水儿的伤口虽长却不深，包扎后就出来了。

王富贵、巴振华、巴锦秀一同上前。王富贵急切地问医生："怎么样？"

医生道："小姐只是划破了肉皮，住几天院就会好的。"

水儿心里想的都是冯健，她问巴振华："爹，冯健出来了吗？他怎么样？"

王富贵太渴望水儿叫他"爹"了，他想抢在巴振华之前接受这个"爹"，可又怕水儿不高兴，他张了张嘴，没发出声音。

巴振华摇了摇头："还没出来。"

医生让水儿进病房休息，水儿坚决不从："不，我要看冯健出来！"

王富贵和巴振华、巴锦秀相互对视了一下，他们都知道水儿的倔强，三个人心中达成默契——既然水儿的伤不重，就由着她吧。

水儿在前，王富贵、巴振华和巴锦秀三个人跟在后面，四个人来到冯健的手术室前。

冯来福焦急地守在手术室门口，他手里拿着一块手绢，不停地擦拭额头上的汗。冯来福一会儿坐下，一会儿站起，他咬着牙，这帮流氓，居然对我儿子下手，我这不是搬起石头砸了自己的脚吗？冯来福又有些纳闷，我儿子冯健应该在政府机关里上班的，怎么跑去参加游行了？

水儿来到冯来福近前，她对冯来福没有什么好印象，水儿想叫冯来福叔叔，可话到嘴边没叫出来："冯健怎么样？"

冯来福望着水儿，眉毛动了两下，对了，一定是水儿，一定是这个女人把冯健勾去游行的。如果不是她，我儿子绝不可能受这么重的伤。王富贵是我的克星，难道他的女儿也成了我儿子的克星？看来，我们两家是前世的冤家，今世的对头！

冯来福没有回答，见王富贵也走了过来，冯来福眼睛不由得瞪了起来，王富贵避开冯来福的目光。

水儿不知冯来福在想什么，她又问："冯健怎么样了？"

冯来福狠狠地看着水儿："你还有脸问我？如果不是你，我儿子会伤成这样吗？"

水儿被呛，一时无话可说。

王富贵哪里容得水儿受委屈，他抢步上前，挡在水儿面前，喝道："冯来福，你想发火对我来，把我们之间的恩怨撒在孩子身上算什么本事？"

冯来福怒不可遏，他一把揪住王富贵的衣领："你算什么东西？你把自己当成副司令，可你在我心中就是一堆臭狗屎！"

巴振华想上前把二人拉开，一着急，又剧烈地咳嗽起来。

巴锦秀忙劝："冯局长，快放手；王副司令，你少说两句。"

就在这时，手术室门开了，医生从里面走了出来，冯来福放开王富贵，迎上医生："大夫，我儿子怎么样？"

医院是安静的地方，冯来福和王富贵吵吵嚷嚷，医生本想训斥两人，但他们一个是警察局局长，一个是警备副司令，都是包头城的头面人物，医生板着面孔，口气还算温和："病人后脑受到棒击，身中两刀，幸好没有伤到要害。手术已经做完了，需要休养一段时间。"

说着，后面几个医护人员把一辆手术车推了出来。水儿扑上去，泪流不止："冯健，冯健……"

医生有点不耐烦："不要叫了，叫，他也听不见，病人还在麻醉中，半个小时后才能醒过来。"

医护人员把冯健推进病房，水儿想跟进去，冯来福"咣当"关上了门，水儿被拒之门外。

巴振华、巴锦秀、王富贵三人连劝带拉，才把水儿弄到她的病房。

冯来福守在冯健床边，握着冯健的手，一刻也不放开。

时间比蜗牛还慢，冯来福不停地看着手表，半个小时终于过去了。冯健一睁开眼睛就寻找水儿："水儿，水儿……"

冯来福道："儿子，爹在这儿，爹在这儿。"

冯健的声音很轻，可隔壁的水儿却听得清清楚楚，她迅速跑了过来。水儿不顾冯来福的冷眼："冯健，我在这儿，我在这儿，你怎么样？"

冯健的手从冯来福手中抽出，他伸向水儿，微笑道："我没事，水儿，你怎么样？"

水儿抓过冯健的手，含着泪："我好好的，什么事也没有。"

冯来福沉着脸对水儿道："医生说了，冯健要休息，不能多说话！"

冯健道："爹，我不说话，让水儿陪我一会儿。"

冯来福是过来人，他明白，冯健是想单独和水儿在一起。冯来福也曾经年轻过，当年他也是那么依恋自己心爱的人，只可恨，王富贵那个人面兽心的家伙害得他们夫妻阴阳相隔，家破人亡。冯来福眼圈一红，眼泪涌了上来。他怕被儿子看见，忙转身走向房门。

王富贵和巴振华、巴锦秀站在冯健病房门口往里张望，见冯来福出来，三个人不约而同地退了几步。冯来福不想让人发现自己流泪，也不想让几个人进屋，他低着头随手关上了门。

包头警备司令部也有医务室，王富贵要把水儿接到警备司令部休养，水儿不从，她坚持留在冯健身边，关心他，照顾他，守护他。王富贵不敢多说，更不敢违拗。

王富贵和冯来福都有公务，不能每天来医院。为巴结两个人，院方派人专门护理水儿和冯健，对两个人照顾得无微不至。

夜深了，水儿刚离开冯健的病房，冯来福就来了。

冯健挣扎着坐了起来："爹，这么晚了你还过来干什么？"

冯来福忙道："儿子，别动别动，快躺下。"

冯健笑道："爹，我已经好多了，没事的。"

冯来福道："你的伤可不轻，不能抻了伤口，还是躺下，躺下。"

冯来福扶冯健躺下了。

冯健望着冯来福问："爹，你和王富贵是结拜兄弟吧？"

冯来福一愣，儿子怎么突然提起这个话题？

第二十七章

巴锦秀万分惊诧，贾奎泰！这不是自己丈夫吗？难道眼前这位阿茹老人是自己的婆婆？巴锦秀强作镇静，几年前，贾奎泰打入绥远省，现在是董其武的机要秘书，这次要随董其武来包头……

冯来福不知儿子下文要说什么，他犹豫一下，反问："是水儿跟你说的？"

冯健没作正面回答，而是说："政府机关里的人也这么说。你们既是结拜兄弟，怎么又反目成仇了呢？"

冯来福恨了王富贵二十多年，但怕影响冯健的情绪，于是，装成若无其事的样子："都是过去的旧怨，不提了，你好好养伤吧。"

冯健思索着："爹，有一天我回包头召，见王富贵和阿茹老人在大殿里神神秘秘，我走到近前，原来王富贵要给阿茹老人一笔钱，让她离开包头，永远也不许回来。可阿茹老人不走，她说她要等自己的儿子。"

冯来福一惊："阿茹的儿子？阿茹的儿子与王富贵有什么关系？"

冯健摇了摇头："不知道。王富贵还说阿茹老人的儿子不是她亲生的，而且，早就死了，王富贵劝阿茹老人不要死心眼儿。"

冯来福的心一动："那后来呢？"

冯健道："后来王富贵见我来了，他就走了。"

冯来福思忖，这个阿茹老人是谁呢？王富贵说她儿子不是她亲生的，还要给她一笔钱打发她离开包头，这背后肯定有不为人知的秘密。突然，冯来福想起了一件旧事，难道这个阿茹是她……

包头召大殿，阿茹老人跪在宗喀巴佛像前，口中喃喃道："宗喀巴大师，我的儿子到底在哪里？请告诉我……"

冯来福推门而入，阿茹老人发觉有人，她站了起来。冯来福看了看阿茹老人，见她虽然身着掉了色的蒙古袍，但举手投足都透着一种高贵的气质，冯来福点了点头："你是阿茹老人家吧？"

阿茹老人木然道："你是谁？"

冯来福在阿茹老人面前踱了两步："先别问我是谁，让我猜猜你的身世。"

阿茹老人未动声色。

冯来福有备而来："你虽然身着蒙古袍，但你不是蒙古人，是满人，对不对？"

阿茹老人既没肯定，也没否定。

冯来福又踱了几步："我还知道，你父亲是清朝绥远将军衙署的副将。"

阿茹老人的眉毛动了动，仍没作声。

冯来福停下脚步，他盯着阿茹老人："如果我没说错的话，你是达拉特旗逊王的结发妻子，逊王的大福晋。"

阿茹老人表情复杂："你到底是谁？"

见阿茹老人神色紧张，冯来福更加自信，他看了一眼宗喀巴佛像，又转过头，诡异地说："你不是要找你的儿子吗？我知道你儿子的下落。"

阿茹老人声音颤抖："我儿子在哪儿？在哪儿？请你告诉我，这些年来，我找他找得太苦了！"

冯来福语调低沉，一副同情的样子："老人家，我告诉你，你可要挺住啊。"

阿茹老人呼吸急促："我儿子怎么了？你快说，快说呀！"

冯来福缓缓地道："你儿子死了。"

阿茹老人身子一晃，差点瘫倒："你，你说什么？"

冯来福又重复一遍："你儿子死了。"

阿茹老人如遭雷击一般，半晌才说："不，我儿子没死。"她转过脸，面向宗喀巴佛像，"有神佛保佑，我儿子不会死的！"

冯来福绕到阿茹老人面前，目光冷峻："你儿子的确死了，是王富贵杀的。"

阿茹老人使劲儿地摇头："不！不可能，王富贵为什么要杀我儿子？"

冯来福没有直接回答，而是反问："包头的达拉特旗王府是谁盖的？"

阿茹老人答道："是逊王。"

冯来福加重语气："应该说，是你丈夫逊王。"冯来福又问，"你丈夫逊王有几个儿子？"

阿茹老人黯然神伤，她犹豫一下："……你就不要卖关子了，请你告诉我，王富贵为什么要杀我儿子？"

冯来福的笑深不可测："你不说，我替你说，逊王有两个儿子，一个是四福晋生的康王，一个是你儿子。因为康王死在重庆，你儿子是达拉特旗王府唯一的继承人，王富贵要霸占达拉特旗王府，所以害死了你儿子。"

阿茹老人反问："那八岁红不是住在王府吗？"

冯来福稍一愣，马上反应过来："你是说四福晋吧？你不说我倒忘了，四福晋是唱戏出身，她叫八岁红。八岁红已经被人毒死了。"

阿茹老人愕然："为什么？"

冯来福面露鄙夷之色："她是一个女人，一个花枝招展的女人，一个不安分的女人，守着那么大的王府，打她主意的人自然少不了。这个道理你不会不明白。"

阿茹老人疑惑地问："我跟你素昧平生，你为什么对我说这些？"

冯来福眼中燃起仇恨的火焰："我可以告诉你，我叫冯来福，是包头市警察局局长，王富贵与我有杀妻之仇！可是，他比我官大，而且他身在军界，我根本扳不倒他。"

阿茹老人痛苦地摇了摇头："你都拿他没办法，我一个老婆子能把他怎样?"

　　冯来福狠狠地说:"王富贵为霸占达拉特旗王府害死你儿子,你可以告他。明天,省主席董其武来包头视察,你去拦路喊冤,求董其武为你做主。董其武为人正派,你告王富贵,董其武一定追究,往后的事,就由我来做了。"

　　阿茹老人泪眼蒙眬:"王富贵这个畜生……可是,我没有人证、物证啊?"

　　冯来福一拍胸脯:"你怎么忘了?我是警察局局长,我既然让你告他,我就有人证、物证。"

　　阿茹老人嘴唇嗫动:"那,那……那我就告他!"

　　冯来福得意地笑了,王富贵啊王富贵,你就等着倒霉吧。就算董其武不杀你,你也当不成副司令了。只要你一免职,我就有机会把你置于死地!

　　中华人民共和国确定于1949年10月1日成立,傅作义想为新中国成立献上一份厚礼,可是,自6月初与解放军签订《绥远和平协议》到现在已经过去了两个多月,董其武迟迟没有起义。傅作义非常着急,他准备亲自去一趟绥远,劝说归绥和包头的军政要员。

　　董其武不是不想尽快起义,可是,绥远情况太复杂,尤其是包头,主战的势力很猛,顽固分子到处煽风点火,如果贸然行事,一旦造成混乱,局面难以挽回。董其武想在傅作义来绥远之前去一趟包头,告诫那些顽固分子,顺应民意,认清形势,看清方向。

　　董其武莅临包头,警察全部出动。冯来福等着阿茹老人拦路喊冤,可是,直到董其武入住到绥西宾馆,也没见阿茹老人的身影。冯来福很是纳闷,这老太太是怎么搞的,为什么没来?

　　冯来福哪里知道,那天他离开包头召,阿茹老人就遇到了巴锦秀。

　　阿茹老人虽然年纪大了,可她心明眼亮,冯来福身为警察局局长,既然他掌握王富贵害死我儿子的人证、物证,就不可能不知道我儿子的名字,可是,冯来福说了半天,也不提我儿子的名字。

　　阿茹老人追到庙外,冯来福已经不见了,只有巴奎斌坐在庙门西侧卖菜。

阿茹老人伫立在包头召大门外，她心潮翻滚，怎么办？我到底是告还是不告？我一生笃信喇嘛教，喇嘛教有八大戒律，其中两条是：不诳语，不杀生。如果我听信了冯来福的话，万一王富贵没杀我儿子，我就是诬告，诬告就是诳语；如果王富贵因此被杀，我就是杀生害命。我这不是同时犯两条戒律吗？

阿茹老人举棋不定，这时，巴锦秀走向包头召。阿茹老人直盯盯地看着巴锦秀，胸脯剧烈起伏。

巴锦秀关切地问："老人家，你有事吗？"

阿茹老人言辞恳切："我有话要对你说，你能听我说吗？"

巴锦秀看了一眼叔叔巴奎斌，叔叔巴奎斌也看了一眼巴锦秀，两个人都点了点头。

巴锦秀随阿茹老人走向包头召西跨院，阿茹老人拉开水儿那间宿舍的门，把巴锦秀让进屋中。阿茹老人关上门，激动得不能自制："你是共产党，对吧？"

巴锦秀警觉起来，这个阿茹老人是干什么的？她怎么知道我是共产党？

阿茹老人解释说："有一次，就是你说王富贵给水儿娘修墓的那次，我在大殿一楼打扫卫生，听见你和水儿在二楼上说话。"

巴锦秀猛然想起，她不禁后怕，我是个老地下工作者，怎么能犯这种低级错误，楼下有人居然都不知道。不要说阿茹老人万一是敌人的谍报人员，就是她无意中泄露出去，都可能对党组织造成重大损失。

阿茹老人竹筒倒豆子——直来直去："你是共产党，我儿子也是共产党，我和儿子已经十几年不见了，我想跟你打听打听，你认不认识我儿子？他是不是还活着？"

巴锦秀悬着的心放下了，她暗中感慨，没想到，阿茹老人还是革命者的母亲，她问："老人家，你儿子叫什么名字？"

阿茹老人道："我儿子原名叫巴勒，后来，他当了共产党，又起了个名字，叫贾奎泰。"

巴锦秀万分惊诧，贾奎泰！这不是自己丈夫吗？难道眼前这位阿茹老人是自己的婆婆？巴锦秀强作镇静，几年前，贾奎泰打入绥远省，现在是董其武的机要秘书，这次要随董其武来包头……巴锦秀一时不知如何回答。

阿茹老人以为巴锦秀不相信自己的话，她把冯来福让她去告王富贵的经过和自己的疑惑说了一遍。

巴锦秀压抑着自己的激动，她想确认阿茹老人的身份，就问她是哪里人氏？贾奎泰哪年出生？什么时候参加的革命？

阿茹老人长叹一声："唉，说来话长了……"

阿茹十八岁嫁给达拉特旗逊王为福晋，可是，婚后一直不生孩子，蒙药、藏药、中药、西药吃了不计其数，可就是怀不上。为了传宗接代，逊王又相继纳了二福晋和三福晋，然而，几年过去了，这两位侧福晋的肚子也没动静。

听人讲，汉人有"带子"之说，逊王和阿茹决定领养一个孩子。突然有一天，王富贵抱着一个三岁的男孩来到王府，他说，一个远房亲戚家太穷，生了五个儿子，实在养不起了，想把最小的儿子送人。逊王和阿茹见这孩子虎头虎脑，白白胖胖，看上去很结实，逊王大喜过望，当场给王富贵两百现大洋，留下了这个孩子。

逊王给这个孩子起名叫巴勒，意为老虎，逊王希望这孩子像老虎一样强壮。

逊王喜欢看戏，尤其爱看晋剧。包头有个晋剧演员，艺名八岁红，据说，这个女演员六岁登台，八岁就唱红了。

逊王被八岁红迷得神魂颠倒。一来二去，两个人就住在了一起，不久，八岁红怀孕了。十月怀胎，一朝分娩。八岁红产下一个男孩，这就是后来的康王。

逊王乐得都找不着北了。康王满月的当天，逊王纳八岁红为四福晋。四福晋八岁红正式进入达拉特旗王府。

当时的达拉特旗王府在榆林召，榆林召是个小镇，八岁红不愿意住在这里。为了讨八岁红欢心，逊王不惜重金，在包头城内买地，盖起了新王府。

逊王和八岁红搬进包头城内，康王日渐长大，八岁红开始为自己的儿子盘算，阿茹是正室，我只是四福晋，万一哪天逊王驾鹤西去，王位肯定是巴勒的。怎么才能让逊王把王位传给我儿子呢？

八岁红开始在逊王面前造谣，说巴勒是阿茹的私生子。逊王当然不信，他把抱养巴勒的事告诉了八岁红。可八岁红还不放心，养子也有继承王位的权利。在她的纠缠下，逊王和八岁红回到榆林召，把巴勒赶出王府。当时，巴勒十六岁。

生的不如养的疼。这是民间俗语，意思是说，父母对亲生的孩子如果没有抚养过，往往比不上亲手带大的孩子有感情。阿茹没有生过孩子，她把巴勒从三岁养到十六岁，母子之间的感情已经深入到骨髓。阿茹在土地庙里找到了巴勒，她把巴勒接回王府，母子二人跪在逊王面前，求逊王把巴勒留下来。

逊王并不讨厌巴勒，他转过脸看八岁红，见八岁红脸色阴沉，逊王一狠心，把巴勒再次赶了出去。

阿茹、巴勒母子抱头痛哭，巴勒不明白父王为什么对自己如此无情？在巴勒的一再追问下，阿茹说出了实情。巴勒如梦方醒，他问自己的亲生父母是谁，可阿茹哪里知道。

李裕智建立内蒙古人民革命军，巴勒改名贾奎泰报名参军。当时，读过书的人很少，巴勒从小生活在王府，逊王专门给巴勒请了教书先生，巴勒蒙汉文兼通。入伍后，巴勒训练积极，工作主动，有文化，能力强，李裕智非常赏识他，很快就发展他加入了中国共产党，不久，又提拔他当了排长。

李裕智被暴子清枪杀，巴锦秀要为李裕智报仇，贾奎泰也同样要为李裕智报仇。巴锦秀和苏连鹏杀暴子清遇险，贾奎泰突然出现，暴子清得到了应有下场，巴锦秀和苏连鹏被救。

大革命失败了，晋绥陕一带的共产党或是被杀，或是去了蒙古、苏联，贾奎泰与组织失去了联系。贾奎泰回榆林召王府奉养母亲阿茹，母子相逢，欢天喜地。

此时，逊王已死，康王继位。得知贾奎泰在王府，八岁红大怒，她带着康王奔赴榆林召，又一次把贾奎泰赶了出去。

贾奎泰辗转找到组织，绥远特委成立，贾奎泰成为特委的一员，后因起义暴露，巴振华请四爷爷巴喜喇嘛把贾奎泰剃成了光头，扮作喇嘛，送出包头城，贾奎泰投奔到陕北刘志丹部下。

红军长征到达陕北，张学良发动西安事变，中华民族的全面抗日战争爆发……贾奎泰被中共中央派到绥远。这期间，贾奎泰为筹粮筹钱回到榆林召王府，阿茹把自己的积蓄都给了贾奎泰，全力支持抗战。

当时，八岁红跟日本人打得火热，一天晚上，得知贾奎泰又一次回到榆林召王府，八岁红告密，日伪便衣突然闯入。阿茹放走了贾奎泰，日伪便衣扑了个空，八岁红也把阿茹逐出了榆林召王府。

阿茹走遍了黄河两岸，她遇庙烧香，见佛磕头，一村一乡都找过了，再也没有见到儿子贾奎泰。阿茹有个朴素的想法，儿子是好人，神佛一定保佑好人。阿茹隐约记得儿子说过包头召，老人进了包头城。找到包头召时已经是深夜了，老人又累又饿，倚在庙门前睡着了。如果不是巴喜喇嘛相救，阿茹老人就没命了。

阿茹留在包头召，老人天天拜佛，日日念经，求宗喀巴神佛让她与儿子贾奎泰团圆。

巴锦秀没想到阿茹老人的经历如此坎坷，巴锦秀想说出自己是贾奎泰的妻子，但又觉得现在还不是时候。

巴锦秀尽可能使自己平静下来："老人家，我认识你儿子贾奎泰，他还活着。我一定把你的情况转告他，用不了多久，他肯定会来看你。"

阿茹老人心花怒放。

突然，外面传来叫卖声："卖菜——喽，卖菜——喽……"

巴锦秀听出了叔叔巴奎斌的声音。巴锦秀和叔叔巴奎斌两个人定下暗号，没有情况，巴奎斌不叫卖；有可疑情况，巴奎斌把"卖"字拉长，喊"卖——菜喽"；如果有同志来接头，巴奎斌把"卖菜"两个字拉长，喊"卖菜——喽"。

听叔叔巴奎斌的声音，是有同志来了，这个同志是谁呢？

第二十八章

冯来福刚出山，突然想到家中还有一张狐狸皮没有带，那张狐狸皮皮质不错，肯定能卖个好价钱。冯来福又趸了回来。一进屋，冯来福傻了……

巴锦秀本想和阿茹老人多聊一会儿，可是，董其武来到包头，一些顽固势力蠢蠢欲动，此时有人与自己接头，一定有重要情况。

巴锦秀出了宿舍，来到包头召大殿一楼。阿茹老人曾听到过巴锦秀和水儿的谈话，这次巴锦秀格外小心，她在一楼仔细查看一圈，确认没有可疑之处才上了二楼。一抬头，见小林子站在楼梯口。

巴锦秀问："小林子，有什么情况？"

小林子风尘仆仆，他抹了一把头上的汗："巴政委，王富贵约冯来福到观音寺见面，他们要对董其武将军下手……"

小林子说完，巴锦秀脸色一变，她吩咐道："我现在就赶往观音寺，你马上通知水儿和冯健！"

包头地处草原，草原上的蒙古民族全部信仰喇嘛教，周边的藏传佛教寺院很多。不过，包头地区也有一些汉传佛教寺院，观音寺就是其中之一。观音寺位于包头城西北门六里外的草原上，这里香客不多，相对城内的包头召来说很清静。

观音寺大殿里，王富贵和冯来福两个人都是礼帽长衫，王富贵和缓地说："二弟呀，今天大哥把你约到这里，是想跟你谈谈咱们合作的事。"

冯来福一阵冷笑："王富贵，让我跟你合作？太阳会从西边出来吗？"

王富贵表情庄重："二弟，你可以不跟我合作，难道你不跟军政部徐永昌徐部长合作吗？难道你不跟蒋总统合作吗？"

冯来福一愣："你是什么意思？"

王富贵注视着冯来福："我已被国民政府任命为反共救国军司令，我知道你是副司令。"

冯来福一下子呆住了："你是反共救国军司令？我，我凭什么相信你？"

王富贵从怀里拿出一张纸："这是国民政府军事委员会颁发的委任状。"

冯来福接过委任状反复看了两遍，又皱着眉头把委任状还给了王富贵，冯来福半晌没说话。

王富贵拍了拍冯来福的肩，冯来福用手一挡，王富贵有些尴尬，他的手放下了，脸微微一红："二弟，现在是党国存亡之际，我们一定要捐弃前嫌，精诚团结，共同完成这项艰巨而又极其重要的任务。"

冯来福瞥了王富贵一眼："什么任务？"

王富贵低沉地说："争取董其武已经没有希望了，上峰指示：务必除掉董其武。"

冯来福背着手来回走了几步，问道："怎么除掉董其武？"

王富贵已有预谋："董其武住在绥西宾馆，全市的警察都在保护他的安全。你趁机封锁通往绥西宾馆的所有道路，我率一个连进入绥西宾馆，就说有刺客混入，我以捉拿刺客为名，将董其武乱枪打死。你看行不行？"

冯来福沉默不语，王富贵问："你为什么不说话？"

冯来福的脸一阵抽搐："不行！你害死了我老婆，害得我家破人亡，你我之间必须有个了断！"

王富贵仰视一下大殿的观音菩萨佛像，又低下头："你是说云娘吗？"

冯来福口气悲凉："二十多年来，我一直没娶，除了云娘，还有谁？"

王富贵脸色平和："你看身后是谁?"

冯来福手按腰间，冷笑道："王富贵，少跟我来这套! 你想趁我回头，一枪打死我，你做梦吧!"

王富贵道："二弟，你对我的误会太深了，事情是这样，你听我说……"

当年，王富贵娶了麻鹊之后，冯来福也看上了一个女子，这个女子就是云娘。不过，那时的云娘已是有夫之妇，她的丈夫就是巴振华、巴锦秀的亲哥哥——巴振中。巴振中身体不好，那次瘟疫夺去了他的生命。

巴振中去世时，妻子云娘已经有了身孕，巴振中的父母担心云娘染上瘟疫，便派家人把云娘送回娘家，可万没想到，王富贵和冯来福把云娘劫到山中。

冯来福说出了对云娘的爱慕之情，一定要云娘嫁给他。云娘又哭又骂，坚决不从。

冯来福给云娘跪下了。令云娘想不到的是，她哭了一夜，冯来福跪了一夜。易求无价宝，难得有情郎。云娘的心被冯来福跪软了，她想，虽然冯来福劫了自己，但并没有更过分的举动，如果自己不答应，万一冯来福动粗，自己根本无法反抗，就算是死了，也要留下不光彩的名声。现在是民国，不讲贞节烈女了，寡妇再嫁也不稀奇，我要是答应他，虽然不是明媒正娶，但传出去，至少不那么难听，最重要的是还可以保住丈夫巴振中的一点骨血。如果神佛保佑，自己生个男孩，丈夫巴振中也有了香火后代。

万般无奈之下，云娘点了点头。冯来福大喜。

王富贵把身上仅有的钱拿出来，摆了一桌酒菜，在王富贵的主持下，冯来福娶了云娘。

成亲之后，冯来福对云娘百依百顺。可是，冯来福不敢离开家，他怕云娘跑了。王富贵对冯来福倾囊相助，冯来福在山中盖了两间草房，又在草房前种了几亩地。王富贵三天两头就过来看看，而且，每次来，都给冯来福和云娘带一些钱物。冯来福很是感激。

大约过了七个多月，云娘生了个男孩，冯来福非常高兴。孩子百日之后，云娘对冯来福说："我们有了孩子，花销越来越大，你一个大男人，应该到外面挣点钱，不能总是靠王大哥接济。"

然而，冯来福一去，却引发了一场塌天大祸！

冯来福觉得女人都恋孩子，有了孩子，云娘应该不会跑。冯来福带山货出去几次，小有收入，两个人的日子有了起色，冯来福的心踏实了很多。

这天，冯来福刚出山，突然想到家中还有一张狐狸皮没有带，那张狐狸皮皮质不错，肯定能卖个好价钱。冯来福又趑了回来。一进屋，冯来福傻了，见王富贵和云娘在炕上拥在一起，儿子睡在一旁。

冯来福火冒三丈，他抄起烧火棍，照王富贵脑袋就打，王富贵爬起来就跑。这棍子没打着王富贵，却打在了云娘额头上。

冯来福去追王富贵，王富贵跑出十多里，冯来福没追上。

冯来福回到家，见孩子在一旁哭，云娘躺在炕上，置之不理。冯来福很生气，他暗骂云娘，你做了见不得人的勾当，还有理了，连孩子也不管了。冯来福推了两把云娘，云娘一动不动，再一看，云娘头上流的血已经把枕头都洇透了。冯来福眼睛一下子就直了，他把手放在云娘鼻子上一试，云娘没气了。

冯来福捶胸顿足，痛不欲生。

冯来福守了一夜，云娘声息皆无，冯来福哭着用家中的木板钉了一口棺材，把云娘放入墓穴里。

当初，冯来福看上云娘，王富贵并没当回事。既然二弟喜欢一个女人，就给他成个家，何况冯来福也没少帮自己。然而，王富贵见到云娘之后，他的心变了，王富贵觉得世间的女人，谁也比不上云娘漂亮。王富贵终日胡思乱想，魂不守舍。

王富贵来冯来福家，不仅仅是为了接济冯来福，更是为了看云娘。冯来福离开草房不一会儿，王富贵就来了。王富贵早有预谋，他从怀里掏出迷魂药，把药偷偷地倒入云娘的水碗里。云娘喝下去，就觉得头重脚轻，身子一软，瘫在地上。

王富贵把云娘抱到炕上，要行非礼。

云娘又气又急，可身子一点力气也没有。就在这时，冯来福回来了。

当时，云娘还没有昏迷，可冯来福这一烧火棍下去，云娘就什么也不知道了。

王富贵被冯来福追出一身臭汗，他在一棵大树下坐了一夜，夜风一吹，王富贵清醒了。朋友之妻不可欺，我们七兄弟结义，现在就剩了我们两个，我却用这种下三滥手段偷兄弟的老婆，这哪是人干的事？我这不是混蛋吗？我还有什么脸活在世上？我跑什么？干脆，让二弟打死我得了。

第二天清晨，王富贵挺起腰，向冯来福的草房走来。快到冯来福家时，见冯来福堆起了一座新坟。冯来福添了最后一锹土，他把铁锹一扔，抱着孩子走了。

王富贵目瞪口呆，难道冯来福把云娘打死了？王富贵跑到草房，见屋中空空，他又跑到坟前，捶胸顿足，拍着坟痛哭："云娘，我对不起你，我不是人，我是畜生，是我害了你……"

突然，坟里发出低沉的声音："放我出去，放我出去……"

没把王富贵吓死，他爬起来就跑，可没跑多远，又停住了。王富贵想起自己给云娘下的迷魂药，会不会是因为云娘喝了迷魂药，冯来福以为云娘死了，把云娘埋了？

王富贵怯怯地走过来，壮着胆子对坟发问："你是人是鬼？"

"我是人，我喘不出气，我要憋死了，快把我放出去。"云娘在坟里说。

王富贵拿起冯来福丢下的铁锹，奋力掘坟，云娘终于从棺材里出来了。

王富贵跪在云娘脚下磕头，以求原谅，云娘看也不看，跟跟跄跄地走了。

这件事之后，王富贵很少回家，他无法面对妻子麻鹊那双清澈见底的眼睛，更怕冯来福登门找他。王富贵想改邪归正，他到处找活干。后来，在街上遇到王英招兵，王富贵投到王英军中。在军中，他不但救了王英的命，还认王英当了干爹。

王富贵很快就升任连长。那时，王英还是抗日分子，王富贵夜袭日军的一个军械仓库，结果遭日军包围。王富贵只身逃到观音寺，遇到已经剃度出家的云娘。王富贵想跟云娘搭讪，但云娘自称妙空，说不认识王富贵。

后来，王英的队伍被日军打散，王富贵随王英投降了日军，当上了伪绥西自治联军参谋长，直至现在的包头警备司令部副司令。

水儿不管王富贵叫"爹"，这是对他最大的打击，也是他心中无法愈合的伤痛。王富贵不断反省自己，所以，他才给麻鹃修墓。在麻鹃陵墓竣工之时，王富贵以水儿的口气，把自己的名字也刻在了麻鹃的墓碑上。王富贵准备一死了之，但他想在死前把冯健的事告诉云娘，试图得到心灵上的救赎。

王富贵去了观音寺，云娘一见王富贵，转身就走。

这是王富贵意料之中的，王富贵在云娘身后道："你儿子已经长大成人，你不想知道你儿子吗？"

母子连心，云娘一下子就站住了。她没有回头，只是静静地听着。王富贵把冯来福如何抚养冯健，如何送冯健读书，冯健大学毕业如何回到包头召院内的街公所工作，如何与自己的女儿水儿相爱，以及冯来福至今未娶，等等，全都讲给了云娘，云娘的泪水夺眶而出。

王富贵在麻鹃墓地的忏悔感动了水儿，水儿虽然没有叫他"爹"，但王富贵看到了希望，尤其是水儿主动要求跟王富贵住在一起，王富贵如遇大赦一般，每天都生活在幸福之中。

但是，王富贵与冯来福的矛盾没有化解。王富贵被广州国民政府任命为绥远"反共救国军"司令，冯来福被任命为副司令，王富贵担心冯来福不配合自己，因此，他把与冯来福的会面安排在观音寺。

王富贵满脸悔恨："二弟，以前我做了不少坏事，过去的事都是大哥的错，大哥对不起你，对不起云娘。"

冯来福并不相信云娘还活着，他嘲讽道："我只知道你无耻，却不知道你还会编故事。"

王富贵悠悠地说："二弟，你可以不相信我，难道你也不相信云娘吗？"王富贵向冯来福身后一努嘴，冯来福这下回头了。他见佛像后站着一个尼姑，这个尼姑身子抽动，满面泪水。

冯来福呆了,他眼睛越睁越大,他一步步走向前:"云娘!你是云娘!你真是云娘!"

冯来福要抓云娘的手,云娘后退两步,她两眼通红:"阿弥陀佛,云娘已经死了,贫尼妙空。"云娘疾步而去。

"云娘!云娘!"冯来福连叫数声,云娘头也没回。

冯来福一把揪住王富贵的衣领:"你知道云娘没死,为什么不早告诉我?"

王富贵默默地看着冯来福:"不要怨我,我做的坏事太多了,我想重新做人。我不知道是该告诉你,还是该告诉巴家,这么多年来,巴家一直都在寻找云娘。"

冯来福的身子一颤,是啊,当初云娘是王富贵帮他抢来的,在名义上,云娘还是巴家的媳妇。冯来福慢慢地放开王富贵,一阵风吹来,冯来福的头发散落下来,陡然间,他好像一下子老了十岁。

王富贵道:"二弟,云娘的事我们可以从长计议,当前最要紧、最迫切的是杀董其武。上峰催得很紧,你觉得我的方案可行吗?"

还没等冯来福答话,有人大叫一声:"不行!"

王富贵和冯来福吓了一跳,侧身一看,见门口站着巴锦秀、水儿和冯健。冯健身着病号服,水儿搀着冯健一条胳膊,冯健的另一条胳膊上缠着绷带。说话之人正是冯健。

"水儿!"王富贵又惊又喜。

"儿子!你的伤还没好,怎么跑来了?"冯来福又疼又爱。

冯健郑重地对王富贵和冯来福说:"王伯伯,爹,董其武是个有良心的中国人,为绥远免遭炮火践踏,他接受了共产党的和平条件,这是顺应潮流、顺应历史、顺应民心的正义之举,可你们却要在背地里谋害他!你们成了千古罪人,叫我和水儿如何抬起头?如何面对世人?"

冯来福张口结舌,他的目光转向王富贵,王富贵却偷偷地看着水儿,水儿咬着嘴唇,神情凝重,低头不语。

巴锦秀静静地看着。

冯来福支吾地对冯健说:"儿子,董其武背叛党国,投降共军……"

冯健打断冯来福的话："爹，自古道：得民心者得天下，国民政府民心丧尽，你为这样的政府卖命值得吗？"

冯来福沉着脸："儿子，你怎么替共产党说话？"

冯健正气凛然："爹，你儿子就是共产党。我早在伪满洲国读大学时，就加入了中国共产党。"

"啊！"冯来福呆若木鸡。

水儿抬起头，她对王富贵说："我也是共产党，冯健和我都是共产党。孽海无边，回头是岸，爹，你以前做的坏事太多了，不能一错再错了。"

王富贵像触电了一般："什么？你叫我'爹'！你肯叫我'爹'了！"

水儿眼中闪着泪花："你本来就是我爹，这是谁也无法改变的事实。"

王富贵眼泪哪还止得住："我的孩子，爹等你这一声'爹'等得太苦了……"

"爹！"

"女儿！"

水儿放开冯健，扑到王富贵怀中，父女二人抱头痛哭。

王富贵心一横："女儿，爹的好女儿，爹听你的，爹什么都听你的。"

冯来福上前来搀冯健："儿子，你说得对，爹也听你的。"

"爹！"冯健开心地笑了。

巴锦秀心中的石头落地了，她道："王先生，冯先生，你们迷途知返，弃暗投明，这就对了。"巴锦秀在王富贵和冯来福的脸上扫视一下，又道，"实话告诉你们吧，国民党在绥远地区搞什么'反共救国军'，什么'反共义勇军'，这些行动都在我们的掌握之中。"

王富贵和冯来福相互对视一下，王富贵半吞半咽地问："你，真是共产党？"

没等巴锦秀说话，水儿道："爹，秀儿姑姑是我们共产党包头地区的负责人。"

水儿的"爹"叫得王富贵比吃了蜜还甜，他激动地对巴锦秀说："有了你，我的心就踏实了。"

冯来福不停地点头："是啊，是啊……"

第二十九章

屋里的空气骤然紧张起来。明明定在十点签字，为什么一个代表也没有来？难道是中途出事了？人们的心七上八下，都在用眼睛询问对方，谁也不敢发问。

月亮消失了，星星消失了，厚厚的云层把夜空裹得严严实实，闪电不时划破夜空，雷声在天边滚动。

已经是半夜一点了，可是，巴振华怎么也睡不着。越睡不着越憋闷，越憋闷越烦躁，越烦躁越热。巴振华起身推开窗户，一股微风吹来，他觉得呼吸通畅了。巴振华站在窗前，他想多吸几口气，"咔嚓"，一道闪电，院里出现一个人影！

巴振华视力不好，他以为自己看错了。又一道闪电，人影已经到屋前了。巴振华不再怀疑自己的眼睛，没错，那就是一个人。

"梆梆梆"，外面传来急促的敲门声："振华，振华，快开门！"

因为当年被日军宪兵灌煤油，巴振华眼睛和肺受到严重损伤，但听力还好。这是四爷爷巴喜喇嘛的声音！四爷爷这么晚了不睡觉，怎么回家了？

巴振华立刻下地，他点燃蜡烛，到外屋开门："四爷爷……"

灯光之下，巴喜喇嘛脸色冷峻，老人把一个蜡丸交给巴振华。

巴振华掰开蜡丸，抽出里面的纸条，见上面有一行字：

董其武床下有炸弹，凌晨两点爆炸！

巴振华呆若木鸡："四爷爷，这是哪儿来的？"

巴喜喇嘛双手合十："阿弥陀佛，是师兄让我送给你的。"

巴振华惊问："是宝大师？"

巴喜喇嘛点点头。

宝力格喇嘛因为反对国共两党内战，愤而出走。宝力格喇嘛是位得道高僧，大师一身正气，崇佛爱国，普度众生。抗战期间，巴振华与宝力格喇嘛多有合作，为共产党和傅作义部传递许多情报，从没出现纰漏。宝大师让四爷爷深夜而来，巴振华知道这个情报的分量！

巴振华回屋看了看桌子上的座钟，座钟的指针指向一点四十分。

巴振华急忙穿上衣服，来不及跟妻子多说，撒腿就跑。

街上一个人也没有，一盏盏路灯如同巴振华的眼睛一样浑浊。

到了绥西宾馆，巴振华往里就闯，两个站岗的士兵拦住巴振华。巴振华上气不接下气地说："有人在董主席床下安了炸弹，请董主席快快离开！"巴振华把那张纸条递了过去，"两点就要爆炸了，你们快去报告！"

两个士兵不知是真是假，其中一个拿着这张纸条跑进值班室。值班室里有位少校，少校接过纸条，往上楼就跑，迎面正遇上董其武的机要秘书贾奎泰。少校慌慌张张地把纸条递给贾奎泰，贾奎泰大惊，一看手表，时间是凌晨一点五十五分！

贾奎泰飞快地进了董其武的卧室。董其武身着睡衣，从浴室里出来，贾奎泰架起董其武就跑。

楼门左右是两排柏树，对面是一个花坛。花坛里种着茂密的鲜花，鲜花中间是一棵高大的迎客松。松树枝上站着一人，此人举着手枪，对准楼门口。贾奎泰和董其武匆匆而出，那人屏住呼吸，瞄准董其武，右手食指慢慢地扣紧扳机……

"啪"的一声枪响，那人从树上掉下来，摔在花坛里。

贾奎泰一怔，见巴锦秀从楼门口左侧的柏树后走来，贾奎泰不禁道："秀儿！"

巴锦秀道："奎泰，你保护董主席快走！"

贾奎泰和董其武消失在夜幕里。

巴锦秀提枪步入花坛，她一把揪起花丛中的那个人，借灯光一看，巴锦秀不禁大惊："三哥！"

原来这个人竟然是巴锦秀当年的结拜兄长苏连鹏。

本来苏连鹏也参加了八路军，可是，当他得知巴锦秀与贾奎泰已经结婚生子，他又悄悄地拉出了他的队伍。抗战胜利，苏连鹏被傅作义部收编。平津战役打响，傅作义张家口失利，苏连鹏又拉出了他的队伍。后来，国民政府军政部徐永昌来到河套陕坝，苏连鹏被委任为"反共义勇军"司令。

苏连鹏胸前血流如注，他也认出了巴锦秀："九妹……"

巴锦秀的心像打开了五味瓶，她哽咽地说："三哥，你为什么？你这是为什么……"

苏连鹏的脸如纸一般惨白："我，我是'反共义勇军'司令，没，没想到……三哥，死在九妹你，你的枪下……"苏连鹏头一歪，气绝身亡。

巴锦秀一声长啸："三哥——"

少校带着卫队在董其武的床底下拆除了定时炸弹，董其武命令军队、警察对包头市内进行全面清查。王富贵和冯来福通力配合，一批"反共救国军"和"反共义勇军"队员纷纷落网，包头的主战势力被压了下去。

王富贵和冯来福把清剿成果上报董其武，董其武看完，他点了点头。这时，机要秘书贾奎泰走了进来，他把一封特急绝密电报呈送到董其武面前。董其武一看，见电报上写道：

董省长其武先生钧鉴：傅作义将军将于8月25日抵达归绥，协商绥远和平起义诸事，请务必保证安全。切切！

绥远和平起义到了关键时刻，中共中央委托傅作义亲临绥远，董其武立刻返往归绥。傅作义听取了董其武的汇报，他分析当前的形势，认为绥远和平起义的重点在包头，包头的安定关乎和平起义的成功。

傅作义仅在归绥住了两天，第三天就到了包头市东五十公里外的美岱召。

美岱召始建于明朝隆庆年间（1567—1572），土默特部可汗阿拉坦接受明朝的顺义王封号，在土默川上筑城建寺。竣工后，初名大板升城，明朝赐名福化城，后改为美岱召。

美岱召是城寺结合的庙宇，在城内东北有座歇山顶式的建筑，人们称之为"三娘子庙"，庙里的檀香木塔里存放着三娘子的骨灰。

三娘子本名钟金，她是阿拉坦汗的第三位夫人，汉人尊称其三娘子。三娘子智勇兼备，才貌超群，她协助阿拉坦汗与明朝达成"隆庆和议"，结束了明蒙双方二百多年的战争局面，双方开通边贸，互通有无，蒙汉百姓亲如一家。1587年（万历十五年），三娘子被明廷封为忠顺夫人，官居一品。

阿拉坦汗辞世后，三娘子极力维护明蒙和平友好，史料上称："东至海冶，西尽甘州，延袤五千里，无烽火警。"明朝的封疆大吏方逢时著诗写道："人言塞上苦，侬言塞上乐。胡马不闻嘶，狼烟净如濯。"土默川上的百姓安享太平达六十多年。

三娘子为蒙明和平做出了重大贡献，她病故后，明朝万历皇帝下诏，以筑七坛的高规格葬礼，表彰三娘子的不世功勋。

美岱召见证了塞上的和平。傅作义在美岱召分别接见了包头的军政要员，他以三娘子激励众人，并大力宣讲中国共产党"起义有功，既往不咎"的宽大政策，消除了绝大部分人心中的顾虑，同时，对包头周边的部队进行了必要的调动。

国民党当局得知傅作义的行踪，不惜一切代价，要把傅作义拉回到国民党队伍之中。蒋介石电邀傅作义到重庆，甚至出动飞机来接傅作义，李宗仁也要来绥远与傅作义面谈，但傅作义均不予理睬。

9月4日下午，傅作义在董其武的陪同下来到包头城。经过共产党代表和傅作义方面协商，绥远和平起义签字的时间地点确定下来——1949年

9月19日上午十点，包头面粉厂大院。

9月18日夜，包头召静得出奇。天空，星星眨动机智的眼睛；地上，草木像哨兵一样警觉地伫立。包头召二楼，巴锦秀、小林子、冯健三个人守着电台，谁也不说话。一楼的经堂里，巴喜喇嘛在宗喀巴佛像前打坐念经。

"噔噔噔"，外面传来一阵急促的脚步声，巴锦秀、小林子、冯健三人都竖起了耳朵。

经堂里传来巴喜喇嘛的说话声："阿弥陀佛，师兄！"

"师弟，有特务身绑炸弹，要在明天的签字仪式上与傅作义、董其武同归于尽！"宝力格喇嘛急切地说。

下面的话就再也听不清了。片刻，脚步声由近而远。

巴喜喇嘛上楼，他把宝力格喇嘛送来的情报告诉巴锦秀。巴锦秀郑重地对冯健说："发报！"

小林子有些担心："巴政委，宝力格喇嘛的话可信吗？"

巴锦秀肯定地说："宝大师力主和平，忧国忧民，虽然他是国民政府的谍报人员，但也曾多次为我们党送过情报，他的话不会有错。"

冯健手摁发报器，"嘀嘀嘀……"一串串电码发出。

仅仅十分钟，冯健就接收到一组电文。他翻译之后交给巴锦秀，巴锦秀看完对冯健道："通知市内地下组织，停止执行第一套方案，马上启动第二套方案！"

"是！"冯健应了一声，手熟练地摁在发报器上。

第二天上午，包头面粉厂大院人头攒动，哨兵对进入这里的人和车辆仔细盘查，一丝不苟。

会议室里，一张长长的桌子两旁摆满了椅子，每把椅子对着一个茶杯。签字文件夹和签字笔等物一应俱全，工作人员垂手而立，静静地等待中共方面和傅作义、董其武等人入场。

"当当当……"墙上的挂钟响了十下，却不见双方签字代表入场。

屋里的空气骤然紧张起来。明明定在十点签字，为什么一个代表也没有来？难道是中途出事了？人们的心七上八下，都在用眼睛询问对方，谁也不敢发问。

会议室里非常安静，所有人员都坚守在自己的岗位上，没有人说话，没有人走动，只有钟摆左右摇晃，发出"嘀嗒嘀嗒"的声音。

时间一分一秒地过去——

十点十分，没有人入场。

十点二十分，仍然没有人入场。

十点三十分，还是没有人入场。

人们的大脑就像拉满的弓弦，绷得越来越紧，仿佛一股风就能把弓弦吹断。

突然，面粉厂房顶上的大广播传出女播音员甜美的声音——

特大喜讯！特大喜讯！以董其武为首的绥远军政干部和地方各界代表38人，在起义通电上签名后，向毛泽东主席、朱德总司令以及华北军区司令员聂荣臻、政委薄一波发出通电，宣告脱离蒋介石等反动派残余集团，坚持走到人民方面来。

通电全文如下："今天我们在绥远发动了光荣起义，并庄严向人民宣布：我们正式脱离依靠美帝国主义的蒋介石、李宗仁、阎锡山等反动派残余集团，坚决走到人民方面来……"

会议室里，有个额头长着黑痣的工作人员东张西望，魂不守舍，他见左右两边没人注意，转身就走。猛然间，两名工作人员猛虎扑食一般把黑痣人摁倒在地。黑痣人的手要往衣服里面摸，两名工作人员用力把他的两条胳膊扭到背后。

"不许动！不许动！"

黑痣人大叫："放开我，你们要干什么？"

巴锦秀带着几个解放军战士走来，两个解放军战士扒下黑痣人的外衣，在他腰间露出了一排炸弹。

巴锦秀怒视黑痣人："告诉你，和平起义签字仪式转移到了绥远官钱局包头分局，你们的行动彻底破产了！"

黑痣人的身子顿时软了下去。

据有关资料显示：绥远和平起义期间，绥远军政界潜伏着133名共产党，其中正副团长4人，省政府秘书5人，省统调警长2人，副县长2人，保密站绥远组组长1人，警宪部门秘书5人。

这些幕后英雄，对绥远和平起义发挥了重要作用。

绥远和平起义几天后，巴振华的六叔、原国民政府蒙藏委员会蒙事处处长巴文俊在阿拉善地区也举行了和平起义。

中华人民共和国成立之前，绥远全部解放。

第三十章

人类在发展，社会在进步，我们同为炎黄子孙、华夏儿女，政治观念不同可以谈，一时谈不拢，可以放一放，再也不能手足相残了！

秋高气爽，阳光灿烂，金色的谷穗在风中频频点头，牧羊的少年唱着高亢嘹亮的蒙古长调，塞外重镇包头五谷丰登，六畜兴旺。

一辆马车拉着郝香香和巴振华、巴锦秀兄妹来到观音寺，在三个人的请求下，观音寺的住持准许云娘还俗。

冯来福站在观音寺外，郝香香把云娘的手放在冯来福手上："来福啊，云娘虽然是巴家的媳妇，但振中毕竟去世多年。这些年来，你对云娘痴情不改，令人十分感动，何况，何况……"郝香香连说了几个"何况"，才把话说完整，"何况你们还有一个儿子冯健……你们一起好好过日子吧。"

冯来福"扑通"跪倒："四婶子，你老人家是我们的大恩人哪！"

云娘也跪下了："四婶，云娘对不起……对不起……对不起……"云娘心中似有千言万语，却卡在咽喉，没有说出来。

郝香香把两人一一搀起："别这样，都起来，都起来。"

冯来福和云娘站起来。

郝香香心情沉重，思绪万千，她嘴里一阵阵发苦，脸上却挂着笑，老人扬了扬手："走吧，走吧，你们走吧。"

冯来福和云娘并肩而行，两个人三步一回头，五步一转身……

直到望不见冯来福和云娘了，郝香香才对巴振华和巴锦秀说："回包头召吧，到祠堂看看你们的阿爸和额吉。"

包头召后院西北角有三间祠堂，里面供奉着巴氏家族的祖先。郝香香带着巴振华、巴锦秀兄妹走进祠堂。三个人给巴氏家族的列祖列宗一一上香磕头，最后跪在巴文峰和荣氏夫人的灵位前。

郝香香叨叨念念，语调忧伤："三哥、三姐吉，香香和振华、秀儿看你们来了。三姐吉，云娘终于找到了，也找到了振中的儿子，只是这孩子不姓巴，而是姓冯，叫冯健。当年，振中得瘟疫走了，你怕云娘和她肚子里的孩子染上瘟疫，叫人把她送到娘家躲避。你跟香香说，等云娘把孩子生下来，就给她找个好男人。没想到半路上云娘被冯来福劫去了。孩子生了下来，冯来福把健儿当成自己的儿子看待，后来，阴差阳错，云娘出家当了尼姑。"

郝香香长叹一声，接着说："来福既当爹，又当娘，千辛万苦把健儿抚养成人，健儿上了小学上中学，上了中学上大学，现在已经成了政府里的官员，这都得益于来福啊。健儿虽然是咱们巴家的骨血，可是，没在巴家待一天。来福也一直没娶，他只有健儿一个孩子，香香不忍心说出健儿的身世，更不忍心从来福手中把健儿夺回来。三哥、三姐吉，巴家忠厚继世，包容传家，相信你们在九泉之下不会反对香香这样做。"

说到这儿，郝香香的泪水夺眶而出，老人又说："来福苦熬这么多年，他应该有个好结局，我让来福把云娘接走了。三姐吉，让云娘再嫁，也是你当年的心愿。如今，你托付给香香的三件事，香香没做到的，振华和秀儿都做了，你就放心吧。"

巴振华、巴锦秀也对父母的灵位说："阿爸、额吉，我们也支持四婶这么做。"

出了祠堂，郝香香去看望阿茹老人，可是，阿茹老人屋里没人。

三个人走向包头召大殿，见天王殿过道里走出三个人，前面是贾奎泰，后面是王富贵和水儿。

贾奎泰远远地向郝香香问候："四婶，您老身体好吧？"

贾奎泰称郝香香为四婶，郝香香愣了，转头一看巴锦秀，老人想了起来："对了，奎泰是你男人。"

巴锦秀笑着点点头。

郝香香握着贾奎泰的手，赞道："秀儿女婿一表人才！一表人才呀！"

两个人说着话，水儿跑进包头召大殿，见阿茹老人跪在宗喀巴佛像前，水儿喜盈盈地叫道："姥姥！"

阿茹老人慢慢地站起身，老人疑惑不解，以前水儿是叫自己奶奶的，怎么突然改口叫姥姥了？这是从哪儿论的？

水儿满面笑容："姥姥，我舅舅叫你额吉，我当然管你老人家叫姥姥了。"

阿茹老人还是没反应过来："你舅舅？谁是你舅舅？"

水儿往外一指："姥姥，你看！"

顺着水儿手指的方向，阿茹老人一眼看见了贾奎泰，阿茹老人两眼放出光来，脸上如同鲜花一样灿烂，幸福的眼泪如溪流一样奔涌："儿子！我的儿子！"

贾奎泰也看见了阿茹老人："额吉！我的额吉！"贾奎泰抢步上前，母子二人四只手紧紧地握在一起。

半晌，阿茹老人醒悟过来，她问："儿子，你的身世弄清楚了？"

贾奎泰一脸喜色："额吉，清楚了，清楚了，我姓麻，我叫麻崇德。"他一指王富贵，"这是我姐夫，姐夫已经把过去的事全都告诉我了。"

阿茹老人连声道："好！好！好哇！"

王富贵愧疚难当，悔恨不已。

郝香香对阿茹老人道："老姐姐，秀儿是我侄女，你是秀儿的婆婆，我们是亲家了！"

阿茹老人激动得不能自制："对对对，我们是亲家！亲家！"

"四奶奶！四奶奶！"冯健从包头召西跨院小跑而来，在他身后跟着冯来福、云娘。

郝香香又惊又喜："冯健！"

"四奶奶！"冯健跑到郝香香面前，"四奶奶，我已经不叫冯健了，我改叫巴健了。"

巴健向巴振华叫一声"二叔"，又向巴锦秀叫一声"姑姑"。

郝香香和巴振华、巴锦秀都呆住了，不知该不该应答。

巴健拉过冯来福，对郝香香、巴振华、巴锦秀三人道："我爹说了，我是巴门之后，我爹、我娘专门带我认祖归宗来啦！"

冯来福歉意地向郝香香、巴振华、巴锦秀解释："四婶子、振华、秀儿，当年，我犯浑的时候，就知道云娘有了身孕，健儿生下来，白白净净，跟个玉娃娃似的，我太喜欢健儿这孩子了。我想把健儿的身世一直瞒下去，可是，你们让云娘还了俗，又让她名正言顺地嫁给我。人心都是肉长的，昨晚，我和云娘商量一夜，这才把健儿送来。"

郝香香、巴振华、巴锦秀、巴健祖孙三代紧紧地拥抱在一起。

王富贵一挑大拇指："二弟，你够个大丈夫！"

冯来福讪讪地笑了笑，又摇了摇头："不够，不够，以前，我对大哥太刻薄了……"

王富贵摆了摆手："不不不，以前大哥太不是东西。"

阿茹老人心花怒放："过去的事不提了，都过去了，都过去了……"

正当人们沉浸在无比的喜悦之中，有人口诵佛号："阿弥陀佛，善哉！善哉！"

人们一看，见宝力格喇嘛和巴喜喇嘛从东跨院走来。

宝力格喇嘛双手合十："这真是一场民族团结的盛会呀！"

众人相互看了看，可不是嘛，大家有蒙古族，有满族，还有汉族，贾奎泰连连称赞："宝大师总结得好！总结得太好啦！"

大家齐声道："对对对，民族团结的盛会！民族团结的盛会！"

郝香香望着贾奎泰茅塞顿开："你出生在汉族人家，在蒙古逊王家长到十六岁，满族的阿茹亲家拿你当亲生儿子，你还娶了我们秀儿做媳妇，汉、蒙、满都让你占全了。"

众人哈哈大笑。

人们你一言我一语，都跟两位高僧打招呼，贾奎泰深情地说："二位大师，绥远和平起义，你们可是功不可没呀！"

宝力格喇嘛动情地说："中国人打中国人已经几千年了，但那都是过去，是民智未开的年代。现在不同了，人类在发展，社会在进步，我们同为炎黄子孙、华夏儿女，都在为中华民族的命运而奋斗，相信谁也不想让中华民族走向深渊，都想使中华民族繁荣富强。政治观念不同可以谈，一时谈不拢，可以放一放，再也不能手足相残了！"

巴喜喇嘛双手合十："阿弥陀佛，和平是福啊！"

一晃三年，中共中央少数民族工作会议召开，当年在包头召从事革命活动的乌兰夫、刘仁、奎璧、吉雅泰、李森等一大批蒙汉各族革命者忆往追昔，大家都认为包头召是内蒙古革命的摇篮，是包头革命的发源地，在革命战争年代，包头召作为党的秘密联络站、情报传递站和共产党人赴共产国际的中转站，为内蒙古的革命事业，乃至中国的革命事业发挥了重要作用。包头召作为民族团结的一面大旗当之无愧。

毛泽东主席听了汇报之后欣然命笔，写下了"做民族团结的先锋"八个遒劲有力的大字。1952 年 9 月 16 日，包头召院内张灯结彩，锣鼓喧天，万余名群众在这里隆重集会，中央少数民族慰问团把绣着毛泽东题词的锦旗授予包头召。时任包头市市长郑天翔代表包头市各族人民表示，一定不辜负党中央和毛主席的指示，包头和包头召一定要做民族团结的先锋，永远做民族团结的先锋。

后　记

　　清朝建立之前，包头是蒙古土默特部的一片无名草原。

　　明朝后期，明廷强化对草原的封锁，草原上铁锅、食盐、布匹、盆盆罐罐等生活必需品极其缺乏，蒙古百姓生活十分艰难，以致煮肉没锅，许多牧民把石板烧烫，把肉放在上面烤。据说，这就是"铁板烤肉"这道菜的来历。

　　土默特部可汗阿拉坦试图打破这一封锁，他寻求与明朝通商，但派往北京的使者相继被杀。阿拉坦汗盛怒之下越过长城，抄掠明朝境内的山西、陕西，一度打到北京城外。

　　然而，杀人一万，自损三千。就在阿拉坦汗徘徊之际，白莲教起义失败，丘富、赵全、李自馨等汉人遭明朝通缉逃到塞外草原。阿拉坦汗对这批人十分重视，凡是秀才、举人，阿拉坦汗一律按才授官，对于没有功名的普通百姓，阿拉坦汗划土地给他们耕种，不收或少收赋税。

　　此时，边塞之内的嘉靖皇帝忙于炼丹修道，以图长生不老，国家大事由严嵩、严世藩父子把持，苛捐杂税多如牛毛，民不聊生。草原上的白莲教徒返回明境，一声呼唤，应者云集，一批又一批汉人冒着杀头危险奔赴草原。

　　草原上的汉人越来越多，由于生活习惯原因，他们不搭帐篷，而是筑土为屋，同乡人聚居在一起，形成村落。最初，草原上的蒙古牧民称这些汉人为"百姓",转音为"板升",后来,汉人居住的村落演化为"板升"。

这就是至今仍然在呼和浩特和包头一带遗存的"板升"文化。

这也是最初的走西口。

皇太极把土默特部纳入清朝版图后,"尽烧板升",并在草原上推行盟旗制度,实行旗、参领、章盖(佐领)三级统治,旗与旗之间不得往来,不得越境放牧,不得通婚,也不得与汉人接触。从此,土默特部巴氏家族便驻牧于博托河两岸。博托河就是今天包头市东河区的东河。

清朝雍正年间,山西、陕西大旱,逃荒的汉人汇成了走西口的大潮,一部分汉人见博托河两岸土地肥沃,他们就在这里停下脚步。巴氏家族以宽广的胸怀接纳了这些衣衫褴褛的汉人,把自家的草场租给他们耕种。随着汉人的不断增加,在博托河两岸形成了"博托村",也写作"泊头村",后规范为"包头村"。

从此,巴氏家族与汉人相濡以沫,共同开发这片处女地。包头由村置镇,由镇置县,由县置市。

在这片神奇的土地上,涌现出一大批彪炳史册的人物。巴氏家族有杭高、托博克、沙津满德勒、巴文峒、巴文峻、巴增华、巴增秀等,巴氏家族之外有经权、云亨、李茂林、郭鸿霖、王定圻、李裕智、多松年、王若飞、乌兰夫、刘仁、奎璧、吉雅泰、李森、恒升、王一伦、贾力更、高凤英、杨植霖,等等。如果把每个人物的事迹都写出来,那就是资料汇编而不是小说了。因此,小说根据情节需要,选取一些历史人物为原型,也对一些历史人物进行了合并和艺术加工。

对于小说中的历史人物,作者很是矛盾,如果把历史人物的姓名用谐音字或近义字代替,便有篡改历史之嫌;如果使用历史人物原名,又担心自己水平不够,不能很好地把握他们的内心世界和感情世界,从而引起他们后代的不满,甚至发生纠纷。真诚希望能得到这些历史人物后代的支持、理解和包容。

同时,作者也虚构了一些人物,用虚构的人物把故事串起来,以突出小说的故事性、可读性和趣味性。

历史小说毕竟不是历史。写历史小说有个原则:大事不虚,小事不拘，即在重大历史事件上绝不能胡编乱造，但是，在一些细枝末节上，作者可发挥想象，信马由缰。所以，本套书的重大历史事件，其时间、地点、原因、结果都是真实的，都是有确凿资料可查的。

这套书的创作历时 10 年之久，数易其稿，重点参阅了已故著名学者巴靖远先生所著的大量历史资料，期间采访了至今仍居住在沙尔沁章盖衙门旧址的巴建民、巴金柱、巴银柱先生，也采访了现已离世的巴秉清、巴奎勋、柳陆先生，得到了包头巴氏家族后人巴永福、巴奎寿、巴继武、巴彩霞、巴建和先生的大力支持，包头医学院教授张贵先生对书中的史料和民俗进行了细心指导，包头市供水总公司九原供水分公司王钧先生提出了一些修改意见，在此表示衷心感谢！

作者　胡刃